D1490094

SUR LE PONT DU LOUP

Du même auteur :

Le Masque de l'araignée, Lattès, 1993.
Et tombent les filles, Lattès, 1995.
Jack et Jill, Lattès, 1997.
La Diabolique, Lattès, 1998.
Au chat et à la souris, Lattès, 1999.
Souffle de vent, Lattès, 2000.
Le Jeu du furet, Lattès, 2001.
Rouges sont les roses, Lattès, 2002.
1er à mourir, Lattès, 2003.
Beach House, Lattès, 2003.
Noires sont les violettes, Lattès, 2004.
2e chance, Lattès, 2004.
Quatre souris vertes, Lattès, 2005.
Terreur au troisième degré (avec Maxime Paetro), Lattès, 2005.
Grand méchant loup, Lattès, 2006.
Quatre fers au feu (avec Maxime Paetro), Lattès, 2006.

www.editions-jclattes.fr

James Patterson

SUR LE PONT DU LOUP

Roman

Traduit de l'américain par Philippe Hupp

JC Lattès
17, rue Jacob 75006 Paris

Collection « Suspense et Cie »
dirigée par SIBYLLE ZAVRIEW

Titre de l'édition originale
LONDON BRIDGES
publiée par Little, Brown and Company, New York.

Pour l'éditeur, le principe est d'utiliser des papiers composés de fibres naturelles, renouvelables, recyclables et fabriquées à partir de bois issus de forêts qui adoptent un système d'aménagement durable.
En outre, l'éditeur attend de ses fournisseurs de papier qu'ils s'inscrivent dans une démarche de certification environnementale reconnue.

ISBN : 978-2-7096-2689-7

© 2004 by James Patterson.
© 2007, éditions Jean-Claude Lattès pour la traduction française.
(Première édition juin 2007.)

Pour Larry Kirshbaum.

À la santé du dixième Alex Cross.

Rien de tout cela ne serait arrivé
sans votre investissement,
vos sages conseils et votre amitié.

Prologue

LE FURET EST DE RETOUR,
ET QUELLE BONNE SURPRISE

1.

Le colonel Geoffrey Shafer adorait sa nouvelle vie à Salvador, la troisième ville du Brésil. La plus intrigante, aux yeux de certains, celle, en tout cas, où l'on s'amusait le plus.

Il avait loué une luxueuse villa de huit pièces, face à la plage de Guarajuba, et passait ses journées à boire des caipirinhas sucrées ou des bières Brahma bien fraîches, quand il ne jouait pas au tennis au club. Mais la nuit, le colonel Shafer, ce tueur psychopathe surnommé le Furet, renouait avec ses vieux démons : il écumait les sombres et sinueuses ruelles de la vieille ville. Il avait cessé de compter ses victimes au Brésil, et personne à Salvador ne semblait s'en soucier. Personne ne les avait dénombrées. Aucun journal n'avait parlé de la disparition de jeunes prostituées. Pas un seul article, pas même un entrefilet. Peut-être fallait-il croire ce qu'on disait des gens d'ici – quand ils n'étaient pas en train de faire la fête, ils préparaient la suivante.

Peu après 2 heures du matin, Shafer rentra chez lui en compagnie d'une très jeune et très jolie pute qui disait s'appeler Maria. Elle avait un visage magnifique et un corps couleur café absolument fantastique, surtout pour une fille de son âge. Maria prétendait n'avoir que treize ans.

Le Furet cueillit une grosse banane sur l'un des bananiers qui ornaient son jardin. À cette période de l'année, il avait le choix entre les noix de coco, les goyaves, les mangues et les *pinhas*, ou pommes cannelles. En détachant la banane du régime, il se fit la réflexion qu'à Salvador, il y avait toujours un fruit mûr à cueillir. C'était le paradis. Ou alors, c'est l'enfer et je suis le diable, songea-t-il en riant.

— Pour toi, Maria, dit-il en tendant la banane. Elle va nous être très utile.

La fille eut un sourire entendu, et le Furet remarqua alors ses yeux. Des yeux marron, des yeux parfaits. Et tout cela, maintenant, est à moi. *Tes yeux, tes lèvres, tes seins*.

Au même instant, il aperçut un petit singe local, un *mico*, qui tentait de s'introduire dans la villa par l'une des fenêtres.

— Sors tout de suite de là, sale petit voleur ! Allez, barre-toi !

Soudain, des ombres surgirent des buissons. Trois hommes lui sautèrent dessus. La police, sans aucun doute. Certainement des Américains. Alex Cross ? pensa-t-il.

Il ne faisait pas le poids face à cette déferlante de bras et de jambes. Un premier coup – de batte de base-ball, de tuyau ? – le mit à terre. On lui releva la tête en le tirant par les cheveux, puis on le battit jusqu'à ce qu'il perde connaissance.

— On l'a eu, fit l'un des hommes. Nous avons capturé le Furet, du premier coup. Ça n'a pas été dur. Amenez-le à l'intérieur.

Puis il regarda la ravissante jeune fille, visiblement terrorisée. Ce qui pouvait se comprendre.

— Tu as fait du bon boulot, Maria. Tu nous l'as livré. (Il se tourna vers l'un de ses hommes.) Tue-la.

Un coup de feu claqua dans le silence du jardin. Personne, à Salvador, n'y prêta la moindre attention.

2.

Le Furet n'avait qu'une envie : mourir. Il était pendu, la tête en bas, au plafond de sa propre chambre. Il y avait des miroirs partout, et il pouvait s'y voir.

Il ressemblait à la mort. Il était nu, couvert de sang et d'ecchymoses. On lui avait menotté les mains dans le dos, sans ménagement, et on lui avait lié les chevilles. Le sang ne circulait plus. Il avait l'impression que sa tête allait exploser.

La petite Maria était pendue à côté de lui, elle aussi, mais à en juger par son odeur pestilentielle, elle devait être morte depuis plusieurs heures, voire près d'un jour. Ses yeux marron le transperçaient.

Le chef des ravisseurs, un barbu qui passait son temps à malaxer une balle noire, s'accroupit à quelques dizaines de centimètres du visage de Shafer et murmura :

— Quand j'étais dans l'active, avec certains prisonniers, voilà ce qu'on faisait. On leur demandait de s'asseoir, poliment, calmement, et ensuite, on leur clouait la langue sur la table. C'est parfaitement exact, monsieur le fureteur. Et tu sais quoi ? Se faire arracher tout simplement des poils... du nez... de la poitrine... du ventre... des couilles... c'est très désagréable, en fait. Non ?

Et il joignit le geste à la parole.

— Mais je vais te dire quelle est la pire torture, à mon avis, reprit-il. Bien pire que ce que tu aurais fait à cette pauvre Maria. On saisit le prisonnier par les épaules et on le secoue brutalement jusqu'à ce qu'il entre en convulsions. On lui agite littéralement le cerveau, l'organe des sens par excellence. Le type a l'impression que sa tête va se détacher. Il a le corps en feu. Je n'exagère pas.

» Tiens, je vais te montrer.

Et pendant près d'une heure, Geoffrey Shafer, la tête en bas, dut subir ce supplice atroce, d'une violence inimaginable.

Puis, enfin, on le détacha.

— Qui êtes-vous ? hurla-t-il. Que me voulez-vous ?

Le chef des ravisseurs haussa les épaules.

— Tu es un vrai salopard, mais n'oublie jamais que je t'ai trouvé. Et je te retrouverai si c'est nécessaire. Tu m'as compris ?

Geoffrey Shafer avait du mal à distinguer l'homme qui lui parlait. Seule la voix lui permettait d'orienter son regard.

— Que... voulez... vous ? bredouilla-t-il. Je vous en prie.

Le barbu se pencha sur lui. Il y avait comme un sourire sur son visage.

— J'ai du travail pour toi, un truc incroyable. Crois-moi, tu es né pour ça.

— Qui êtes-vous ? marmonna le Furet aux lèvres éclatées.

Cette question, il l'avait déjà posée cent fois pendant qu'on le torturait.

— Je suis le Loup, lui répondit cette fois le barbu. Peut-être as-tu déjà entendu parler de moi.

I

L'IMPENSABLE

3.

Il faisait un temps superbe, cet après-midi-là, et l'un d'eux allait mourir subitement, bêtement. Frances et Dougie Puslowski étaient en train d'étendre les draps, les taies d'oreiller et les vêtements des petits pour les faire sécher au soleil.

Soudain, ils virent arriver des soldats de l'Armée de terre. Beaucoup de soldats. Tout un convoi de jeeps et de camions remontait le chemin d'Azure Views, le parc de mobile homes où ils vivaient, à Sunrise Valley, Nevada. Les troupes descendirent des véhicules. Des hommes lourdement armés. Ils n'étaient pas là pour le plaisir.

— C'est quoi, ce bordel ? s'exclama Dougie.

Dougie, qui travaillait pour les mines Cortey, près de Wells, était en arrêt-maladie. Il essayait, tant bien que mal, de s'habituer à sa nouvelle vie d'homme au foyer et se rendait parfaitement compte que ce n'était pas une réussite. Il déprimait à longueur de journée, il devenait irritable et mesquin, et face à cette pauvre Frances, face aux enfants, il n'assurait pas.

Dougie s'étonna de voir que les soldats, hommes et femmes, qui descendaient des camions portaient des tenues de combat – brodequins, treillis camouflage, T-shirts vert olive – comme s'ils étaient en Irak et non au fin fond du Nevada. Armés de fusils M-16, canons en l'air, ils couraient vers les premiers mobile homes. Certains semblaient même avoir peur. Un comble.

Le vent du désert, assez soutenu, charria leurs voix jusqu'à la corde à linge des Puslowski. Frances et Dougie entendirent nettement : « Nous faisons évacuer cette ville ! Il s'agit d'une urgence ! Tout le monde doit partir, et tout de suite ! Allez, on se dépêche ! »

Frances Puslowski eut la présence d'esprit de constater que tous les soldats prononçaient à peu près les mêmes phrases, comme s'ils avaient répété. Et à en juger par leurs visages crispés et graves, il n'était pas question de leur désobéir. Les trois cents et quelque voisins des Puslowki étaient déjà en train de partir. Ils râlaient, mais ils s'exécutaient.

Delta Shore, qui habitait juste à côté, arriva en courant.

— Qu'est-ce qu'il se passe ? C'est quoi, tous ces soldats ? Qu'est-ce qu'ils foutent ici ? Oh, putain, j'y crois pas. Ils doivent venir de Nellis, de Fallon ou de je ne sais où. J'ai peur, Frances. Pas toi ?

Frances finit par recracher sa pince à linge.

— Il paraît qu'on doit évacuer. Faut que j'aille chercher les petites.

Sur quoi elle fonça chez elle. Compte tenu de ses cent quinze kilos, ce n'était pas un mince exploit.

— Madison, Brett, venez. N'ayez pas peur. Il faut juste qu'on s'en aille un petit bout de temps ! Ça va être sympa. Comme au ciné. Allez, on se bouge !

Les deux petites filles, respectivement âgées de deux et quatre ans, émergèrent de la petite chambre où elles étaient en train de regarder un feuilleton pour enfants, sur Disney Channel. Et Madison, l'aînée, émit les protestations d'usage :

— Pourquoi, maman ? Pourquoi on est obligées ?

Moi, j'ai pas envie. Je le ferai pas. On est trop occupées, maman.

Frances saisit son téléphone mobile sur le comptoir de la cuisine, et il se passa alors une chose étrange : lorsqu'elle voulut appeler la police, elle n'entendit que des grésillements. Ce genre de friture, sur la ligne, c'était nouveau. Que se passait-il ? Une invasion ? Un problème en rapport avec le nucléaire ?

— Merde ! cria-t-elle, prête à fondre en larmes. Mais c'est quoi, ce cirque ?

— T'as dit un gros mot ! couina Brett en se moquant gentiment de sa mère.

Elle aimait bien quand sa mère disait des gros mots. C'était comme si elle avait fait une faute, et Brett était toujours ravie quand les adultes faisaient des fautes.

— Allez chercher vos doudous, dit Frances.

Car jamais les filles ne seraient parties sans leurs peluches préférées, pas même si les plaies d'Égypte s'étaient abattues sur la région. Mais si ce n'était pas ça, quelle catastrophe les menaçait ? Pour quelle raison l'armée avait-elle envahi les lieux, en brandissant ces fusils au visage des habitants ?

Dehors, elle entendait ses voisins apeurés traduire ses interrogations à voix haute : « Qu'est-ce qu'il s'est passé ? » « Qui a dit qu'on devait partir ? » « Dites-nous pourquoi ? » « Il faudra me tuer d'abord, soldat ! Vous m'avez compris ? »

Cette dernière voix était celle de Dougie ! Que mijotait-il encore, celui-là ?

— Dougie, rentre ! hurla Frances. Aide-moi à m'occuper des gamines ! Dougie, j'ai besoin de toi.

Elle entendit un coup de fusil. Une détonation sèche, comme si la foudre venait de s'abattre à quelques mètres d'elle.

Frances courut à la porte et vit deux soldats contemplant le corps de Dougie.

Oh, mon Dieu, il ne bouge plus. Mon Dieu, mon Dieu !

Les soldats l'avaient abattu comme un chien enragé. Pour rien ! Frances se mit à trembler de tout son corps, avant de vomir son déjeuner.

— Berk ! se mirent à piailler les filles. Berk, maman ! T'as vomi dans toute la cuisine !

Puis soudain, un soldat mal rasé enfonça la porte d'un coup de pied et se planta devant Frances en hurlant :

— Tirez-vous d'ici, et vite ! À moins que vous n'ayez envie de crever, vous aussi.

Il pointait son arme sur elle.

— Je ne plaisante, ma petite dame. Pour tout vous dire, ça me gênerait pas du tout, de vous tirer dessus.

4.

Le boulot – l'opération, la mission – consistait à rayer de la carte toute une localité. En plein jour.

C'était un plan délirant, surréaliste. *Le Jour des morts-vivants*, en comparaison ? Un film pour ados... Sunrise Valley, Nevada. Population : trois cent quinze âmes. Et bientôt, zéro. Qui pouvait croire une chose pareille ? Dans trois minutes, ce serait chose faite.

Les passagers du petit avion ne savaient pas pourquoi on avait choisi de faire disparaître cette localité, tout comme ils ignoraient les détails de cette étrange mission. Ils savaient juste qu'ils étaient grassement payés. L'argent avait déjà été versé. Ils ne connaissaient même pas leurs noms respectifs. On leur avait simplement expliqué leur rôle à chacun. Leur petite pièce du puzzle, rien de plus. C'était le mot employé : leur « pièce ».

Michael Costa, de Los Angeles, était l'artificier du groupe. On lui avait demandé de confectionner « une bombe thermobarique artisanale de forte puissance ».

Un jeu d'enfant, pour lui.

Le modèle dont il s'était inspiré était la BLU-96, à laquelle les militaires avaient donné le surnom éloquent de *Daisy Cutter* – la faucheuse de marguerites. À l'origine, cette bombe avait été conçue pour

neutraliser les champs de mines ou dégager des zones
d'atterrissage en terrain boisé. Jusqu'au jour où un
pervers s'était rendu compte que la Daisy Cutter pouvait faucher les hommes aussi facilement que les
arbres et les rochers.

Et c'était ainsi que Michael avait fini par se
retrouver à bord de cet avion. Un appareil si vieux, en
si piteux état, qu'on se demandait par quel miracle il
avait réussi à décoller. Ils survolaient le massif des
Tuscarora et se dirigeaient vers Sunrise Valley,
Nevada. Ils n'allaient pas tarder à atteindre le point C.
Leur cible.

Michael et ses nouveaux amis étaient en train
d'assembler la bombe, à bord de l'appareil. Ils disposaient même d'un schéma explicatif, comme s'ils
n'étaient que des demeurés. *La bombe thermobarique
pour les nuls.*

La vraie BLU-96 était une arme militaire très surveillée et relativement difficile à obtenir, Costa le
savait. Mais malheureusement pour tous les gens qui
vivaient, baisaient, mangeaient, dormaient et chiaient
à Sunrise Valley, on pouvait également fabriquer une
Daisy Cutter chez soi avec des composants disponibles
dans le commerce. Costa avait acheté un réservoir
d'essence souple d'une contenance de trois mille cinq
cents litres, l'avait rempli de carburant à haut degré
d'octane, puis équipé d'un dispositif dispersant, avant
d'insérer des bâtons de dynamite en guise de détona-
teurs. Après quoi, il avait bricolé un frein à inertie et
un dispositif de mise à feu à partir d'un mécanisme
conçu pour le déploiement automatique des para-
chutes. Ce n'était pas plus compliqué que cela.

Le reste, il l'avait expliqué à ses compagnons de
vol :

« On survole la cible. On jette la bombe par la

porte de la soute, et on se casse vite fait. Croyez-moi, la Daisy Cutter va tout carboniser, et Sunrise Valley ne sera plus qu'une trace de brûlure dans le désert. Un souvenir. Ouvrez bien les yeux. »

5.

— Doucement, messieurs. Il ne faut faire de mal à personne. Cette fois-ci, du moins.

À mille deux cents kilomètres de là, le Loup suivait les événements en temps réel. Quel film ! Quatre caméras vidéo, au sol, transmettaient les images de Sunrise Valley au quatre moniteurs installés dans sa luxueuse villa de Bel Air, à Los Angeles. Son QG provisoire.

Il regarda les militaires escorter les habitants du lotissement jusqu'aux camions de transport qui les attendaient. L'image était si nette qu'il parvenait à lire les écussons sur les chemises des soldats : 72e BATAILLON D'INFANTERIE, NEVADA.

Brusquement, il se mit à crier : « Fais pas ça, merde ! » et commença à malaxer sa petite balle noire, comme il le faisait chaque fois qu'il était nerveux ou irrité, voire les deux.

L'un des civils avait dégainé une arme de poing pour la braquer sur un soldat. Quelle erreur stupide !

— Imbécile ! hurla le Loup devant son écran.

Une seconde plus tard, l'homme au pistolet était mort. La vue de son cadavre gisant face contre terre accéléra le mouvement des autres débiles de Sunrise Valley vers les camions. J'aurais dû le prévoir, songea le Loup. Mais cela ne faisait pas partie du programme, et cet incident allait créer un petit problème.

Puis l'une des caméras se braqua vers le ciel pour suivre les manœuvres d'approche d'un petit avion de transport. L'appareil commença à décrire des cercles au-dessus de la localité. Quel superbe spectacle ! Les images étaient manifestement tournées depuis l'un des camions qui, il fallait l'espérer, devaient être en train de foncer hors de la zone.

Des images magnifiques, en noir et blanc, pour plus d'efficacité, plus de réalisme.

Il y avait également une caméra embarquée à bord de l'avion.

— Les anges de la mort, murmura le Loup. C'est magnifique. Je suis vraiment un artiste.

Deux hommes poussèrent l'énorme réservoir de carburant dans le vide, non sans mal. Aussitôt, le pilote effectua un virage serré sur l'aile gauche, poussa les moteurs à fond et prit de l'altitude aussi vite qu'il le put. C'était son travail, sa pièce du puzzle, et il s'en était fort bien sorti.

— Toi, tu viens de sauver ta peau, fit le Loup.

La caméra passa en plan large. La bombe piquait sur la ville, en tournoyant. Une image saisissante, effrayante, même pour lui, le Loup.

À une trentaine de mètres du sol, la bombe explosa.

— Boum ! s'exclama spontanément le Loup, qui se laissait rarement aller à de telles effusions.

Fasciné, il vit la Daisy Cutter raser littéralement une zone d'un rayon de cinq cents mètres. En détruisant tout ce qui pouvait y vivre. Le périmètre était totalement dévasté. À plus de quinze kilomètres de là, des vitres volèrent en éclats. À Elko, Nevada, situé à près de soixante kilomètres, le sol et les constructions tremblèrent. On entendit la déflagration jusque dans l'État voisin.

Et même bien plus loin. Jusqu'ici, à Los Angeles, par exemple. Car ce qui venait de se passer dans la minuscule localité de Sunrise Valley n'était qu'un essai.

— Voilà ce que j'appelle un joli tour de chauffe, ricana le Loup. Les prémices d'un événement de première grandeur. Mon chef-d'œuvre. Ma revanche.

6.

Quand tout a commencé, j'étais en vacances sur la côte Ouest. J'avais pris quatre jours, histoire de décrocher un peu. Un vrai bonheur, pour moi qui n'avais pas pris de congés depuis un an. Première étape : Seattle.

Seattle est une ville magnifique et très vivante qui doit une bonne partie de son charme, à mon avis, à cet étonnant mélange de vieillot et d'ultramoderne – la présence de Microsoft n'étant sans doute pas étrangère à la place qu'elle accorde à la cyber-culture.

En d'autres circonstances, la perspective de me rendre à Seattle m'aurait enthousiasmé encore davantage, mais j'étais dans une période particulièrement difficile, et le petit garçon qui me tenait la main tandis que nous traversions Wallingford Avenue était là pour me le rappeler.

Il me suffisait d'écouter mon cœur.

Ce gamin était mon fils, Alex, et je ne l'avais pas vu depuis quatre mois. Sa mère et lui vivaient désormais à Seattle. Et moi, je travaillais pour le FBI, à Washington. Nous nous disputions « amicalement » la garde d'Alex. Après quelques rencontres plutôt orageuses, la situation semblait évoluer dans le bon sens.

— Tu t'amuses bien ?

Alex ne se déplaçait jamais sans Meuh, sa petite vache laitière noire et blanche, son jouet préféré lorsqu'il vivait avec moi, à Washington. Il n'avait pas encore trois ans, mais c'était déjà un sacré gaillard, aussi agile de la langue que des mains. Ce que je pouvais l'aimer, ce petit bout de chou ! Selon sa mère, il était surdoué – à la fois très intelligent et extrême-ment créatif – et je voulais bien la croire. Professeur dans le primaire, et d'une grande compétence, elle était bien placée pour émettre un tel jugement.

Christine habitait Wallingford, un quartier où il faisait bon se promener ; Alex et moi avions donc décidé de ne pas trop nous éloigner. Nous commen-çâmes par jouer un peu dans le jardin, un beau terrain bordé de pins Douglas, et d'où l'on avait une superbe vue sur le massif des Cascades.

Je pris plusieurs photos du petit, sur instructions de Nana Mama, son arrière-grand-mère. Ensuite, Alex voulut absolument me montrer le potager de sa maman et, comme je m'y attendais, c'était une réussite. Tomates, laitues et courges à profusion. La pelouse était bien entretenue, et des pots de romarin et de menthe ornaient le rebord de la fenêtre de la cuisine.

Après, nous allâmes au terrain de jeu de Wal-lington, histoire de faire un peu de base-ball et de nous perfectionner à la batte et à la réception, puis ce fut le zoo, et ensuite le tour du plan d'eau de Green Lake, main dans la main. Alex, qui attendait avec impatience le défilé des enfants organisé à l'occasion de la Seafair, la grande foire annuelle, avait du mal à comprendre pourquoi je ne pouvais rester. Moi, je savais ce qui m'attendait, et j'essayais de me préparer.

— Pourquoi il faut toujours que tu partes, papa ?

Que répondre ? Il n'y avait que cette soudaine et terrible douleur, dans ma poitrine, une douleur hélas familière. J'avais envie lui dire : tu sais, mon petit bonhomme, je voudrais être tout le temps avec toi.

— C'est comme ça. Mais je te promets que je reviendrai bientôt, et tu sais que je tiens mes promesses.

— C'est parce que t'es un policier ? C'est pour ça qu'il faut que tu partes ?

— Oui, en partie. C'est mon travail. Il faut que je gagne de l'argent pour acheter des lecteurs de DVD et des sucreries.

— Pourquoi t'essaies pas de trouver un autre travail ?

— Je vais y penser.

Ce n'était pas un mensonge. J'avais bien l'intention d'étudier la question. J'avais déjà une longue carrière d'enquêteur derrière moi et j'avais commencé à me remettre en question. J'en avais même parlé à mon médecin, ma psy personnelle...

Finalement, vers 14 h 30, il fallut rentrer. Alex retrouva sa belle maison de style victorien, tout en bleu souligné de boiseries blanches. Une maison magnifiquement restaurée, chaleureuse et pleine de lumière, où l'on se dit qu'il doit faire bon vivre lorsqu'on est enfant. C'est un peu vrai, d'ailleurs, pour toute la région de Seattle.

Depuis sa chambre, Alex Junior peut même voir les Cascades.

Que demander de plus, quand on a son âge ?

Peut-être un papa qu'on verrait plus souvent, et pas une fois tous les trois ou quatre mois ?

Christine, qui nous attendait sur le pas de la porte, nous accueillit avec un grand sourire. Quel changement depuis notre dernier face-à-face à Washington... Pouvais-je lui faire confiance ? Avais-je le choix ?

Je serrai Alex dans mes bras, sur le trottoir, avant

de prendre encore quelques photos-souvenirs qui feraient le bonheur de Nana et des enfants.

Puis il rentra, et Christine referma la porte derrière elle. Il ne me restait plus qu'à regagner ma voiture de location, tout seul, les mains au fond des poches, en me posant mille questions. Mon petit Alex me manquait déjà horriblement. Et je savais très bien qu'à chacune de mes visites, ce serait la même épreuve.

7.

Je descendis ensuite à San Francisco pour retrouver mon amie, l'inspecteur principal Jamilla Hughes. Nous sortions ensemble depuis environ un an. Je ne la voyais pas assez, j'avais besoin d'être avec elle. Elle, elle savait trouver les mots justes.

La belle voix d'Erykah Badu, puis celle de Calvin Richardson, m'accompagnèrent pendant presque tout le voyage. Eux aussi savaient trouver les paroles, les notes appropriées. Mieux que moi, en tout cas.

Peu avant l'atterrissage, nous eûmes la chance de voir le Golden Gate Bridge et la ville de San Francisco dans d'extraordinaires conditions. Je pris le temps de distinguer les quais de l'Embarcadero et la tour Transamerica avant de me laisser emporter par la magie de la Californie. J'étais si pressé de retrouver Jam ! Nous nous étions connus lors d'une enquête criminelle. Seul problème : elle vivait sur la côte Ouest, et moi sur la côte Est. Nous étions tous deux très attachés à notre ville et à notre travail, ce qui ne facilitait pas le rapprochement.

Ensemble, nous passions pourtant des moments merveilleux, et lorsque j'aperçus Jamilla près de la sortie du terminal noir de monde, devant un restaurant North Beach Deli, elle était radieuse, elle se tapait sur la tête, elle sautait de joie. Elle est comme ça : nature, spontanée.

Je me sentais déjà mieux. L'effet Jamilla. Elle portait un blouson de peau bleu avec un T-shirt assorti et un jean noir, et j'avais l'impression qu'elle n'avait pas eu le temps de repasser chez elle avant de venir m'accueillir, mais elle semblait vraiment en pleine forme.

Elle avait mis du rouge à lèvres et, en la prenant dans mes bras, je découvris qu'elle s'était également parfumée.

— Oh, si tu savais comme tu m'as manqué ! lui dis-je.

— Alors serre-moi très fort et embrasse-moi. Comment ça s'est passé, avec ton gamin ? Alex va bien ?

— Il pousse, il est de plus en plus intelligent, de plus en plus drôle. Il est vraiment génial. Tu sais, il me manque déjà...

— Je sais, je sais. Allez, serre-moi dans tes bras !

Je la soulevai du sol et la fis tournoyer, et pourtant elle mesure 1,75 m et elle est bien charpentée ! J'adore la tenir dans mes bras. Quelques personnes nous regardaient, la plupart en souriant. Normal, non ?

Puis, deux des badauds, un homme et une femme, costume et tailleur sombres, s'avancèrent vers nous. Quoi encore ? pensai-je.

La femme me montra sa plaque. FBI.

Oh, non. Non, pitié, ne me faites pas ça...

8.

Je dus reposer Jamilla, gentiment, comme si nous avions été surpris en train de commettre un acte répréhensible, alors que c'était tout le contraire. Mon euphorie s'évanouit instantanément. Hop, plus rien ! Moi qui avais décidé de me changer les idées, c'était loupé...

— Je suis l'agent Jean Matthews. (Elle désigna son collègue, un blond d'une trentaine d'années qui mâchouillait une barre chocolatée.) Et voici l'agent John Thompson. Nous sommes vraiment navrés de vous déranger, mais on nous a demandé de vous accueillir à l'arrivée de votre avion. Vous êtes bien Alex Cross, monsieur ?

Elle avait fini par songer à poser la question...

— Oui, je suis Alex Cross. Et voici l'inspecteur principal Hugues, de la police de San Francisco. Vous pouvez parler devant elle.

— Non, monsieur, je regrette, mais nous devons vous voir en privé.

Jamilla me tapota le bras.

— Ce n'est pas grave.

Elle s'éloigna, en me laissant avec les deux agents du FBI. C'est eux que j'aurais voulu voir partir. Loin, très loin.

— Quel est le problème ?

Je me doutais bien qu'il s'agissait de quelque chose de grave. Burns, mon patron au FBI, connaissait mon emploi du temps et mon itinéraire, même lorsque je n'étais pas en service. Autrement dit, j'étais toujours en service.

— Comme je vous l'ai dit, m'expliqua l'agent Matthews, on nous a demandé de vous accueillir à l'aéroport pour que vous repreniez un avion. Vous partez pour le Nevada. La situation est extrêmement grave. Une explosion, dans une petite ville. Pour tout vous dire, la localité a été rayée de la carte... Il y a une heure. Le directeur voudrait que vous puissiez être sur place. C'est une vraie catastrophe.

Incrédule, abattu, écœuré, je rejoignis Jamilla. J'avais comme un grand vide dans la poitrine.

— Il y a une explosion dans le Nevada. Une bombe. Il paraît que c'est aux infos. Il faut que j'aille sur place. Je vais essayer de revenir dès que je peux. Je suis vraiment désolé. Tu ne peux pas imaginer à quel point...

Elle aurait pu ne pas répondre. Sa réaction se lisait sur son visage.

— Je comprends, bien sûr que je comprends. Il faut que tu partes. Reviens si tu peux.

Quand je voulus la serrer dans mes bras, elle se déroba, me fit un triste petit signe de la main et repartit sans ajouter un mot. Je compris alors que je l'avais sans doute perdue, elle aussi.

9.

J'étais de nouveau en mission, dans un état presque second. De San Francisco, je rejoignis en jet privé une petite ville du Nevada, avant de monter dans l'hélicoptère du FBI chargé de m'emmener à Sunrise Valley. Enfin, ce qui avait été Sunrise Valley.

J'essayais de ne pas penser à mon petit Alex, ni à Jamilla, mais sans grand succès. Peut-être me fallait-il attendre d'être sur les lieux du drame...

À en juger par la déférence des agents locaux à mon égard et leurs apartés nerveux, ma réputation m'avait précédé : j'étais le type venu de Washington. Burns avait spécifié que j'étais un spécialiste des situations de crise, que j'étais *son* envoyé spécial. Je n'étais pas là pour jouer les mouchards, mais les agents en poste dans la région, eux, l'ignoraient.

Le vol en hélicoptère ne dura qu'une dizaine de minutes. Juste avant de nous poser, je vis un océan de gyrophares. Sunrise Valley n'existait plus. Il y avait encore de la fumée, mais pas de feu. Peut-être parce qu'il n'y avait plus rien à brûler...

Il était un peu plus de 20 heures.

Que s'était-il passé ? Et pour quelles raisons avait-on mis en œuvre des moyens forcément considérables pour détruire un bled paumé comme Sunrise Valley ?

On m'avait briefé à bord de l'hélico, mais malheureusement, les informations dont nous disposions étaient encore maigres. À 16 heures, tous les habitants de la localité, sauf un, abattu par balles, avaient été « évacués » par des hommes portant, semblait-il, l'uniforme de la garde nationale. On les avait conduits à une soixantaine de kilomètres de là, à mi-chemin de la grande ville la plus proche. La police d'État du Nevada avait été informée de l'endroit où ils se trouvaient. Quand elle était arrivée sur place, jeeps et camions militaires avaient bien entendu disparu. Tout comme la petite localité de Sunrise Valley. Effacée de la carte.

Il ne restait plus que du sable, quelques touffes d'herbe, des broussailles.

Toutes sortes de véhicules de lutte contre l'incendie, de fourgonnettes, de 4 × 4 et une demi-douzaine d'hélicoptères occupaient le terrain. Au moment où notre appareil se posa, j'aperçus des techniciens en combinaison de protection.

Une attaque chimique ?

Une pareille chose était-elle possible ?

Oui, bien sûr.

10.

Depuis que j'étais dans la police, j'avais rarement vu un spectacle aussi terrifiant. Une désolation aussi totale qu'inexplicable.

À peine descendu de l'hélico, je fus invité à revêtir une combinaison étanche NBC comprenant un masque à gaz dernier cri, à double oculaire, équipé d'une pipette pour boire. Cet accoutrement angoissant me projetait dans un univers digne de Philip K. Dick. Heureusement, cela ne dura pas. Apercevant deux officiers qui ne portaient pas le leur, je m'empressai d'enlever cet insupportable masque.

Peu après mon arrivée, il y eut enfin du nouveau : deux grimpeurs avaient aperçu un homme équipé d'une caméra vidéo. Son comportement leur ayant paru suspect, ils l'avaient pris en photo avec un appareil numérique. Ils avaient également photographié l'évacuation de Sunrise Valley.

Deux de nos agents étaient en train de les interroger et, dès qu'ils auraient fini, je prendrais la suite. Malheureusement, la police locale avait déjà mis la main sur l'appareil photo numérique, et ces messieurs refusaient de nous le confier en l'absence de leur chef. Lequel, parti chasser, avait du retard.

Quand il finit par arriver, dans sa vieille Dodge

noire, il eut droit à un accueil au mortier lourd. Je n'attendis même pas qu'il descende de voiture.

— Vos hommes détiennent une preuve importante. Nous devons l'examiner. Il s'agit désormais d'une enquête fédérale, et je représente à la fois le FBI et la Sécurité nationale. Vos hommes nous ont fait perdre un temps précieux.

C'était un type bedonnant, d'une soixantaine d'années. Il s'en prit aussitôt à ses subordonnés :

— Amenez-le-moi, cet appareil, bande de crétins ! C'était quoi, votre plan ! Qu'est-ce que vous avez dans la cervelle, merde ! Enfin, si vous en avez une. Allez, apportez-le vite fait !

Les deux hommes arrivèrent au pas de course, et le plus grand des deux, dont j'appris plus tard qu'il n'était autre que le gendre de son chef, tendit l'appareil photo. C'était un Canon Powershot, et je savais comment visionner les images.

Qu'avons-nous là ? pensai-je. Les premières prises de vue ne montraient que des paysages, en plan large ou rapproché.

Puis venaient les photos de l'évacuation. Incroyables.

Et enfin, je vis l'homme qui avait filmé l'explosion.

Il tournait le dos à l'objectif. On le voyait d'abord debout, puis un genou à terre, sans doute pour mieux cadrer son image.

J'ignore ce qui avait incité le grimpeur à prendre ces photos, mais il avait eu du flair. L'inconnu braquait son caméscope sur la petite ville, vidée de ses habitants, qui n'allait pas tarder à disparaître dans un geyser de flammes haut de plus d'une centaine de mètres. Il était manifestement au courant de ce qui allait se produire.

Sur la photo suivante, on le voyait se retourner

vers les grimpeurs. Puis il donnait l'impression de se diriger dans leur direction. Peut-être avait-il remarqué qu'on le prenait en photo. On aurait dit qu'il les regardait.

Et je découvris alors, incrédule, son visage. Je le connaissais. Forcément, puisque je l'avais pourchassé durant des années. Il était recherché aux États-Unis comme en Europe pour plus d'une douzaine de meurtres. C'était un psychopathe extrêmement dangereux, l'un des pires criminels sévissant actuellement dans le monde.

Il s'appelait Geoffrey Shafer, mais on le surnommait le Furet.

Que faisait-il ici ?

11.

Le Furet apparaissait encore plus nettement sur deux autres photos.

J'en avais presque la nausée, et je dus m'humecter les lèvres, tant ma bouche était sèche. Pourquoi Shafer est-il ici ? Qu'a-t-il à voir avec l'explosion qui a rasé cette petite ville ? me demandai-je. C'était du délire. J'avais l'impression de faire un cauchemar.

Mon premier contact avec le colonel Geoffrey Shafer remontait à un peu plus de trois ans. Il avait assassiné plus d'une douzaine de personnes à Washington, et nous n'avions pas réussi à le prouver. Il se faisait passer pour un chauffeur de taxi, le plus souvent dans le quartier de Southeast, où j'habitais, où les proies étaient faciles, et où, il le savait très bien, on bâclait l'enquête quand la victime était pauvre et noire. De jour, Shafer était un colonel de l'Armée de terre, détaché à l'Ambassade de Grande-Bretagne. Un homme des plus respectables, derrière lequel se cachait un des tueurs en série les plus démoniaques que j'avais jamais croisés au cours de ma carrière.

Un agent local du nom de Fred Wade me rejoignit près de l'hélicoptère alors que j'étais encore en train d'examiner les prises de vue. Il voulait en savoir plus. Il n'était pas le seul.

— Le type qui a filmé l'explosion s'appelle Geoffrey Shafer, lui dis-je. Je le connais. Il a assassiné plusieurs personnes à Washington, à l'époque où j'y travaillais, à la criminelle. Il s'est enfui à Londres et là-bas, au milieu d'un supermarché, il a tué sa femme froidement, sous les yeux de leurs enfants. On avait perdu sa trace. Je crois qu'il est de retour et cette seule pensée me donne la migraine.

Je sortis mon mobile pour appeler Washington et raconter ce que j'avais découvert, tout en visionnant les dernières photos sur lesquelles apparaissait le colonel Shafer. On le voyait monter à bord d'une Ford Bronco rouge.

Sur l'image suivante, la Ford s'éloignait. Incroyable. La plaque d'immatriculation était visible.

Et c'était bien là le plus étonnant : le Furet avait commis une erreur.

Or l'homme que je connaissais n'en commettait jamais.

Peut-être était-ce voulu...

12.

Le Loup se trouvait toujours à Los Angeles, mais les échos du désert du Nevada lui parvenaient régulièrement. Le secteur de Sunrise Valley grouillait de monde. Après la police, étaient arrivés les hélicoptères... puis l'armée... et enfin, le FBI.

Son vieux copain Alex Cross avait fait le déplacement, lui aussi. Je suis content pour lui. Bon petit soldat, se dit-il.

Et, bien entendu, tout le monde s'interrogeait. Que s'était-il passé ?

Personne n'était en mesure de formuler la moindre hypothèse.

Normal.

La plus grande confusion régnait parmi les forces de l'ordre, et c'était là que résidait toute la beauté de l'opération : rien ne terrorisait plus les gens que ce qu'ils ne comprenaient pas.

Fedya Abramtsov et sa femme Liza allaient d'ailleurs lui en fournir une nouvelle preuve. Fedya, un truand de Los Angeles, aurait voulu devenir un grand nom de la mafia russe à l'étranger, tout en vivant comme les stars, à Beverly Hills. Le Loup était chez eux, en ce moment, mais à ses yeux, cette maison était aussi la sienne : après tout, cet argent lui appartenait.

Sans lui, ils n'étaient que des petits malfrats sans ambitions.

Fedya et Liza ne savaient même pas qu'il était chez eux. Ils avaient passé le week-end dans leur chalet d'Aspen et venaient de rentrer à L.A. Il était un peu plus de 22 heures.

Imaginez leur surprise.

Cet inconnu imposant installé dans le salon, bien calé dans son fauteuil, et qui les regardait tranquillement, en écrasant une balle de mousse dans sa main droite.

C'était la première fois qu'ils le voyaient.

— Qui êtes-vous ? s'écria Liza. Qu'est-ce que vous faites ici ?

Le Loup ouvrit les bras.

— Je suis celui qui vous a offert toutes ces choses merveilleuses. Et c'est ainsi que vous me remerciez ? En me manquant de respect ? Je suis le Loup.

Fedya en avait suffisamment entendu. La présence du Loup chez lui, au grand jour, ne pouvait signifier qu'une chose : Liza et lui étaient condamnés. Il faut se tirer d'ici en espérant que le Loup est venu seul, ce qui m'étonnerait, se dit-il.

Il n'eut le temps de faire qu'un seul pas. Le Loup se saisit du pistolet qu'il avait glissé sous le coussin. Il était bon tireur. Il abattit Fedya Abramtsov de deux balles, une dans le dos, une dans la nuque.

— Il est tout ce qu'il y a de plus mort, dit-il calmement à Liza, qui n'était qu'un surnom. Je préfère Yelizaveta. C'est moins banal, moins américanisé. Viens t'asseoir ici. Allez, viens. (Le Loup tapota ses genoux.) Viens. Je n'aime pas avoir à me répéter.

La fille était jolie, intelligente, et apparemment totalement dénuée de scrupules. Elle vint prendre place sur les genoux du Loup. Elle faisait ce qu'on lui disait de faire. Brave fille.

— Je t'aime bien, Yelizaveta, tu sais. Mais que veux-tu, je n'ai pas vraiment le choix. Tu m'as désobéi. Fedya et toi avez volé mon argent. Ne discute pas, je sais que c'est vrai. (Il regarda ses beaux yeux marron.) Tu connais le *zamochit* ? Quand on casse les os ?

Yelizaveta devait connaître, car elle poussa aussitôt un hurlement.

— Tant mieux, fit le Loup en saisissant le poignet gauche, si fin, de la jeune femme. Tout se passe à merveille, aujourd'hui.

Il commença par l'auriculaire de Yelizaveta, par son petit doigt si mignon.

13.

Étions-nous en guerre ? Si oui, qui était l'ennemi ?

Un froid glacial avait pétrifié le désert, et par cette nuit sans lune, nous avions du mal à nous repérer. L'ambiance n'était pas très rassurante. Tout cela avait-il été prévu ? Quelle était l'étape suivante ? Le lieu ? Quelles seraient les prochaines victimes ? À quoi tout cela rimait-il ?

J'essayais de mettre un peu d'ordre dans mon esprit et d'organiser tant bien que mal les prochaines heures. Nous recherchions un petit convoi de jeeps et de camions militaires qui semblait s'être volatilisé dans le désert. Et une Ford Bronco avec une plaque du Nevada, illustrée du traditionnel coucher de soleil. 322JBP.

Nous recherchions Geoffrey Shafer. Que manigançait-il dans la région ?

En attendant la découverte d'un indice, ou un quelconque message, j'arpentais les vestiges de Sunrise Valley. À l'endroit où la bombe avait explosé, habitations et véhicules s'étaient quasiment évaporés. Des lambeaux de mort et de désolation flottaient encore dans l'air, débris incandescents, cendres. Une fumée noire et grasse voilait le ciel, et je me faisais la réflexion que seul l'homme était capable de faire des choses pareilles. Il y avait de quoi avoir honte...

Tout en errant parmi les décombres, je parlais aux agents et techniciens affectés à l'enquête, et je commençais à prendre quelques notes de la scène de crime :

> *Les débris du lotissement ont été dispersés un peu partout.*
> *Des témoins parlent de bidons largués d'un avion à hélice.*
> *Un des bidons arrive droit sur une caravane, mais explose en l'air, au-dessus du camp.*
> *Au début, l'explosion ressemble à « un nuage blanc, qui ondule comme une méduse », puis le nuage s'embrase.*
> *La chaleur dégagée déclenche des vents tourbillonnants et très violents qui soufflent pendant plusieurs minutes.*

Pour l'instant, nous n'avions retrouvé qu'un seul corps dans les décombres. Tout le monde se posait la même question : pourquoi une seule victime ? Pourquoi avoir épargné la vie des autres ? Quel était l'intérêt de faire sauter ce village ?

Rien de tout cela n'avait le moindre sens. Et le plus énigmatique demeurait la présence de Shafer.

Ginny Moriarity, un agent du FBI en poste dans la région, m'appela. Elle me fit signe de venir, avec de grands gestes. Que se passait-il ?

Je la rejoignis au trot. Elle était en grande discussion avec deux flics locaux.

— On a retrouvé la Bronco, m'annonça-t-elle. Pas de trace des camions, mais la Bronco a été localisée, à Wells.

— Qu'y a-t-il, à Wells ?

— Un aérodrome.

14.

— On y va !

L'hélico du FBI redécolla, direction Wells. Il fallait faire vite si nous voulions espérer mettre la main sur le Furet. Je ne croyais pas trop aux miracles, mais nous n'avions rien d'autre à nous mettre sous la dent. Les agents Wade et Moriarity m'accompagnaient.

Lorsque l'appareil s'éleva au-dessus de ce qui restait de Sunrise Valley, je pus mesurer autour de moi l'immensité du plateau désertique : la localité se trouvait en effet à une altitude d'environ mille deux cents mètres.

Puis je fis abstraction du paysage pour me concentrer sur Shafer, et le lien qui pouvait exister entre lui et cet attentat monstrueux. Trois ans plus tôt, Shafer avait enlevé Christine Johnson alors qu'elle était en vacances aux Bermudes, en famille. Christine et moi devions nous marier, à l'époque. Et nous ignorions qu'elle était enceinte d'Alex lors de l'enlèvement. J'avais retrouvé Christine à la Jamaïque et l'avais libérée, avec l'aide de mon meilleur ami, John Sampson, mais rien n'était plus comme avant. Très marquée par ce qu'elle avait vécu, Christine était partie vivre à Seattle peu après la naissance de notre fils. Elle avait emmené

Alex, et il avait fallu que je me batte pour voir mon fils. Tout cela à cause de Shafer.

Avec qui le Furet travaillait-il ? Une chose était certaine : la préparation et l'exécution de l'attentat de Sunrise Valley avaient mobilisé un très grand nombre de personnes. Des dizaines d'hommes et de femmes s'étaient fait passer pour des soldats de la garde nationale – le Pentagone nous avait confirmé que l'armée n'était aucunement impliquée dans l'opération. Et il y avait cette bombe qui avait rasé le secteur. Qui l'avait fabriquée ? Vraisemblablement un expert en explosifs, formé à l'armée. Or Shafer, ex-colonel de l'armée britannique, avait également joué les mercenaires...

Les coïncidences ne manquaient pas, mais on restait dans le vague.

Le pilote de l'hélico se tourna vers moi.

— On devrait avoir Wells en visuel dès qu'on aura passé cette crête. On verra de la lumière, mais eux nous verront également. Dans le désert, difficile d'être discret.

— Essayez de vous poser à proximité de l'aérodrome, lui répondis-je. Nous allons contacter la police d'État pour coordonner l'intervention. Il risque d'y avoir des échanges de tir.

— Entendu.

J'entrepris de faire le point avec Wade et Moriarity. Fallait-il se poser sur l'aérodrome ou plus loin, dans le désert ? Avaient-ils déjà eu l'occasion de se servir de leur arme, avaient-ils déjà essuyé des coups de feu ? Non, me répondirent-ils. Génial.

— On arrive, fit le pilote. Voilà l'aérodrome, sur votre droite.

Et soudain, je vis un bâtiment d'un étage, et ce qui ressemblait à deux pistes. Une demi-douzaine de véhicules, mais pas encore de Ford Bronco.

Puis j'aperçus un petit avion d'affaires roulant sur le tarmac. Il s'apprêtait à décoller.

Shafer ? Cela m'aurait surpris, mais en ce moment, il fallait s'attendre à tout.

— Je croyais qu'on avait fermé Wells ? dis-je au pilote.

— Moi aussi. C'est peut-être le type qu'on recherche. Si c'est lui, on peut lui dire adieu. C'est un Learjet 55, et je vous garantis que ça file.

Dès lors, nous ne pouvions qu'assister au décollage, impuissants. Le Learjet parcourut la longueur de la piste en quelques secondes, quitta le sol, vira sur l'aile et disparut dans le lointain, avec une facilité qui touchait à la désinvolture. J'imaginais Geoffrey Shafer à son bord, regarder l'hélico du FBI d'un œil amusé et nous adresser un doigt d'honneur. Ou bien, m'adresser à moi un doigt d'honneur. Pouvait-il être au courant de ma présence ici ?

Quelques minutes plus tard, nous nous posions enfin à Wells. Et presque aussitôt, les deux contrôleurs de la petite tour m'informèrent que le Learjet avait disparu de l'écran radar.

— Comment ça, disparu ? m'exclamai-je, incrédule.

— Ce que je veux dire, m'expliqua l'aîné de deux hommes, c'est qu'on dirait que l'appareil s'est volatilisé. Comme s'il n'avait jamais existé.

Mais moi, je savais que le Furet était venu ici. Et j'avais des photos pour le prouver.

15.

Geoffrey Shafer fonçait dans le désert au volant d'une Oldsmobile Cutlass bleu marine. Il ne se trouvait pas à bord du petit avion d'affaires qui avait décollé de Wells. C'eût été trop facile. Les furets se ménagent toujours plusieurs sorties.

Shafer savourait son succès. Son plan extrêmement ingénieux avait parfaitement fonctionné. De toute manière, en cas de pépin, tout avait été prévu. Et il avait appris que le Dr Cross, qui travaillait maintenant pour le FBI, s'était lui-même rendu dans le Nevada.

J'imagine que cela fait partie du scénario. Mais pourquoi Cross ? Quel rôle le Loup lui a-t-il réservé ? se demandait-il.

Le Furet s'arrêta à Fallon, Nevada, où il devait établir le prochain contact. Il ne savait pas précisément qui il allait contacter, tout comme il ignorait le but de toute cette opération. Il ne connaissait que sa partition, et avait reçu l'ordre explicite de donner un coup de fil, une fois à Fallon, pour recevoir de nouvelles instructions.

Conformément aux consignes, il prit donc une chambre au Best Inn Fallon et se servit d'un téléphone mobile qu'il devait détruire ensuite. Ni plaisanteries, ni mots superflus : l'entretien fut strictement professionnel.

— Le Loup à l'appareil.

Shafer se demanda si c'était vrai. Selon la rumeur, le vrai Loup faisait appel à des doublures, à des sosies. Et chacun d'eux avait, évidemment, un rôle bien défini.

Ce qu'il entendit ensuite le prit au dépourvu.

— On vous a vu, colonel Shafer. Vous avez été repéré et pris en photo près de Sunrise Valley. Le saviez-vous ?

Shafer voulut nier, mais fut aussitôt interrompu.

— Nous avons des copies de ces photos sous les yeux. C'est grâce à elles qu'ils ont pu localiser la Bronco à Wells. Ce qui explique que nous vous ayons demandé de changer de voiture et de rouler jusqu'à Fallon. Une précaution, en cas de problème.

Shafer ne sut que répondre. Comment pouvait-on l'avoir repéré là-bas, au beau milieu de nulle part ? Et que faisait Cross dans la région ?

Le Loup se mit à ricaner.

— Oh, ne vous tracassez pas, mon cher colonel. Il était prévu qu'on vous voie. La personne qui vous a pris en photo travaille pour nous.

» Demain, vous vous rendrez au point de contact suivant. Et ce soir, amusez-vous un peu, à Fallon. Mettez un peu d'animation. Je veux que vous alliez tuer quelqu'un. Choisissez votre victime, faites votre numéro. C'est un ordre.

16.

J'étais de plus en plus tendu, de plus en plus nerveux. L'enquête piétinait lamentablement et jamais je n'avais vu un tel chaos.

Près de vingt-quatre heures s'étaient écoulées depuis l'attentat, et nous ne disposions que de deux vagues pistes. Nous avions interrogé les quelque trois cents habitants de Sunrise Valley, sans récolter le moindre indice. Aucun événement particulier ne s'était produit dans les jours précédant l'explosion, personne n'avait aperçu un quelconque inconnu dans la région. Nous n'avions toujours pas retrouvé les véhicules militaires qui avaient servi à l'opération, nous ignorions leur provenance. Le drame de Sunrise Valley demeurait inexplicable. Tout comme la présence du colonel Geoffrey Shafer. Il y avait de quoi devenir fou.

L'attentat n'avait toujours pas été revendiqué.

Au bout de deux jours, n'ayant plus de raisons de prolonger mon séjour dans le désert du Nevada, je rentrai à Washington. Nana, les enfants, et même Rosie, la chatte, m'attendaient devant la porte.

Quel bonheur de retrouver sa maison ! Pourquoi ne pas rester là, une fois pour toutes ? Quand finirais-je par retenir la leçon ?

— Voilà qui est sympathique ! m'écriai-je en

franchissant les marches du perron. Un comité d'accueil ! Je vous ai beaucoup manqué, hein ? Il y a longtemps que vous êtes là ?

Nana et les petits firent non de la tête, à l'unisson. Je flairais le coup monté.

— Mais si, on est tous très contents de te voir, Alex, avoua enfin Nana.

Et je les vis enfin sourire. Le coup monté.

— On t'a bien eu ! cria Jannie, dix ans, les tresses débordant de son chapeau de paille. Évidemment, qu'on est ton comité d'accueil ! Évidemment que tu nous as manqué, papa ! Qu'est-ce que tu crois ?

— On t'a bien eu ! renchérit Damon, perché sur la balustrade.

Jean étroit, T-shirt branché, baskets de luxe, il portait la tenue réglementaire des gamins de son âge. Douze ans.

Je pointai sur lui un doigt accusateur.

— Si tu bousilles ma balustrade, c'est moi qui vais t'avoir !

Après quoi, je dus répondre à un feu roulant de questions sur Alex junior, et je fis circuler mon appareil photo numérique pour que chacun puisse profiter des dizaines d'images que j'avais enregistrées.

Tout le monde riait, et c'était bien mieux ainsi. J'étais si content d'être enfin chez moi. Même si j'attendais toujours des nouvelles du Nevada...

Nana m'avait gardé une assiette au chaud : un délicieux poulet rôti à l'ail et au citron accompagné de courgettes et de champignons qu'elle avait fait revenir avec des oignons. Quand j'eus achevé mon festin, tout le monde participa à la vaisselle, puis Nana servit la glace. Jannie nous montra le magnifique dessin qu'elle avait réalisé, au crayon et à l'encre, et qui représentait ses héroïnes, Venus et Serena Williams. Nous nous installâmes ensuite devant la télé pour regarder jouer les Washington Wizards. Après le match de basket, chacun partit se coucher, mais avant, j'eus droit à une double ration de bisous et de câlins. Un vrai moment de bonheur. Bien mieux que la veille et, j'en étais sûr, moins bien que le lendemain.

17.

Vers 23 heures, je finis par monter au grenier, où j'avais installé mon bureau. Après avoir passé une vingtaine de minutes sur le dossier Sunrise Valley, je donnai un coup de fil à Jamilla, à San Francisco. Je l'avais déjà eue deux fois au téléphone ces derniers jours, sans avoir vraiment le temps de lui parler. Il était tard, j'avais peut-être une chance de la trouver chez elle.

Je tombai sur son répondeur.

Moi qui n'aime pas laisser de messages – et qui en avais déjà laissé deux lors de mon bref séjour dans le Nevada – je finis par dire : « Bonsoir, c'est Alex. Je n'ai toujours pas renoncé à te convaincre de me pardonner ma défection, l'autre jour, à l'aéroport de San Francisco. Si tu veux venir sur la côte Est un de ces quatre, je te paie le billet. Je te rappelle bientôt. Tu me manques, Jam. Au revoir. »

Dès que j'eus raccroché, je poussai un long soupir. J'avais encore gaffé. Oui, j'étais bel et bien en train de tout foutre en l'air. Qu'est-ce qui m'arrivait ?

Je descendis me couper une double tranche du pain de maïs que Nana avait préparé pour le lendemain. Ce forfait ne m'apporta aucun soulagement. Au contraire, ma goinfrerie m'accablait. J'étais là, dans la cuisine, sur ma chaise, et je caressais Rosie, qui s'était installée sur mes genoux.

— Tu m'aimes, dis, Rosie, hein ? Je suis plutôt sympa, comme mec, non ?

Le téléphone sonna encore. Peu après minuit, Fred Wade, un des agents que j'avais côtoyés dans le Nevada, me communiqua une information susceptible de m'intéresser.

— Ça vient de nous arriver de Fallon. La réceptionniste d'un Best Inn a été violée et tuée il y a deux jours. On a retrouvé son corps dans un buisson, tout près du motel. Celui qui a fait ça voulait qu'on la retrouve, d'ailleurs. On a une description, un client qui pourrait être votre colonel Shafer. Comme vous vous en doutez, il y a longtemps qu'il est parti.

Votre colonel Shafer. Tout était dit. *Il y a longtemps qu'il est parti.* Tu m'étonnes...

18.

Je ne dormis pas beaucoup cette nuit-là. Mon sommeil fut cisaillé de cauchemars. Le Furet. Le brasier de Sunrise Valley.

Il fallait que je me lève tôt et que je signe des autorisations – les enfants partaient avec toute l'école visiter l'aquarium de Baltimore. Vers 4 h 30, alors qu'il faisait encore nuit, je sortis discrètement, sans dire au revoir, ce que je déteste, mais en ayant pris soin de laisser un petit mot pour Jannie et Damon. *Il est trop gentil, ce papa, non ?*

Un CD d'Alicia Keys et Calvin Richardson m'accompagna en douceur pendant le trajet.

Le siège du FBI, à Washington, abritait la cellule des Menaces Majeures. Depuis le 11 Septembre, le FBI avait beaucoup changé. Cette vénérable institution, à laquelle on avait souvent reproché son inertie et sa lourdeur administrative, était devenue plus dynamique, plus présente sur le terrain, plus efficace. Et on avait récemment doté le siège du Hoover Building d'un programme informatique de six millions de dollars, avec une banque de données de quarante millions de pages couvrant tous les actes terroristes recensés depuis l'attentat du World Trade Center de 1993.

Nous avions une nuée de renseignements. Pouvait-on en tirer quelque chose ?

Nous étions une douzaine, réunis ce matin-là dans la salle des Opérations et Informations Stratégiques, au quatrième étage, pour étudier le dossier Sunshine Valley. La destruction de cette petite localité avait été provisoirement classée « menace majeure », mais nous n'avions pas la moindre idée de la nature de cette menace.

Nous n'avions eu aucun contact avec les auteurs de l'attentat et n'avions reçu aucune revendication.

Ce qui était d'autant plus inquiétant.

Une situation invraisemblable...

Notre salle de réunion était l'une des moins sinistres et des plus confortables : fauteuils de cuir bleu, table de bois sombre, tapis bordeaux. Le drapeau américain et celui du ministère de la Justice. Autour de la table, beaucoup de chemises blanches bien repassées et de cravates rayées.

Avec mon jean et mon coupe-vent bleu marine estampillé ANTI-TERRORISME FBI, j'avais l'impression d'être le seul à porter la tenue adéquate. Ce dossier n'était pas un dossier comme les autres...

J'étais pourtant entouré de pointures. Le plus gradé d'entre nous était Burt Manning, l'un des cinq directeurs adjoints exécutifs de la maison. Il y avait également plusieurs agent seniors de la cellule antiterroriste, ainsi que les meilleurs analystes du tout nouvel Office du renseignement, réunissant des experts du FBI et de la CIA.

Mon équipière, ce matin-là, était Monnie Donnelley, une analyste hors pair avec laquelle je m'étais lié d'amitié lors de mon passage au centre de formation de Quantico.

— Je vois que tu as reçu ton invitation personnelle,

lui glissai-je en prenant place à côté d'elle. Bienvenue à la petite sauterie.

— Oh, je n'aurais pas voulu manquer ça. On se croirait en pleine science-fiction. C'est si bizarre, Alex.

— Oui, c'est un peu ça.

Près de l'écran, l'agent spécial responsable de l'antenne de Las Vegas nous expliquait qu'un laboratoire mobile avait été installé à l'intérieur du périmètre de Sunrise Valley, mais que rien de concluant n'avait été découvert pour l'instant. Nous en vînmes donc à l'évaluation de la menace.

Là, cela devenait beaucoup plus intéressant.

Il fut d'abord question des groupes terroristes américains, tels que la National Alliance et l'Aryan Nation, mais nous imaginions mal ces demeurés monter une opération aussi sophistiquée. Puis on nous briefa sur les activités d'Al-Qaida et du Hezbollah, et durant deux bonnes heures, la discussion s'enflamma : ces deux mouvements islamistes radicaux figuraient en bonne place, en effet, sur la liste des organisations suspectes. Et pour finir, Manning distribua les ordres de mission.

Moi, en revanche, je ne reçus aucune instruction. Devais-je en déduire que le grand patron, Burns, allait bientôt me contacter directement ? Je ne tenais pas particulièrement à le voir à ce sujet. Je n'avais aucune envie de repartir, surtout si c'était pour retourner dans le Nevada.

Et c'est alors que l'impensable se produisit.

Tous les bipeur se mirent à sonner simultanément.

Chacun de nous lut son message. Depuis plusieurs mois, les agents seniors étaient systématiquement prévenus de la sorte en cas de menace terroriste, qu'il s'agît d'un colis suspect à New York ou d'une alerte à l'anthrax à Los Angeles.

J'avais reçu le message suivant :

DEUX MISSILES SOL-AIR DISPARUS BASE AERIENNE KIRTLAND ALBUQUERQUE.

IGNORONS SI LIEN AVEC ATTAQUE SUNRISE VALLEY.

VOUS TENONS INFORMES.

19.

PAS DE REPOS POUR LES JUSTES proclamait l'affiche pla-
cardée entre la cantine et les distributeurs de boissons
fraîches. Il était 17 h 50 lorsque notre auguste groupe se
retrouva autour de la table de conférence. Certains sup-
posèrent que l'attentat de Sunrise Valley avait fini par
être revendiqué. Pour d'autres, cette réunion d'urgence
concernait sans doute le vol de missiles à la base de
Kirtland.

Quelques minutes plus tard, une demi-douzaine
d'agents de la CIA débarquèrent. Costards et attachés-
cases. *Oh, oh*. Puis nous vîmes arriver cinq ou six types
de la Sécurité intérieure, des vrais tueurs. L'affaire prenait un tour beaucoup plus sérieux.

— Dis donc, ça ne rigole pas, me chuchota Monnie
Donnelley. D'habitude, la coopération entre agences ne
dépasse pas le stade du vœu pieu, mais aujourd'hui, la
CIA est venue en force...

— Je te trouve de bien joyeuse humeur, lui dis-je.

Elle haussa les épaules.

— Comme disait le général Patton sur le champ de
bataille : « Aie pitié de moi, mon Dieu, mais j'adore ça ! »

Le directeur du FBI, Burns, pénétra dans la salle à
6 heures pile, accompagné de Thomas Weir, le patron de
la CIA, et de Stephen Bowen, de la Sécurité intérieure.

Les trois hauts responsables paraissaient gênés de se retrouver ici, ensemble, et leur malaise était contagieux.

Monnie et moi échangeâmes un regard. Quelques agents poursuivirent leur conversation pendant que les grands patrons s'asseyaient, histoire de bien montrer qu'ils en avaient déjà vu d'autres. Moi, j'avais plutôt l'impression que nous allions devoir affronter un problème totalement inédit.

— Puis-je avoir votre attention ? demanda Burns.

Le silence se fit, les regards se braquèrent sur le directeur du FBI.

— Je vais vous retracer l'historique de l'affaire. Deux jours avant l'explosion de Sunrise Valley, nous avons reçu un message qui se terminait par la phrase : « Nous espérons que ces violences ne feront pas de victimes. » La nature de ces « violences » n'était ni précisée, ni même suggérée. On nous a demandé de ne faire part de ce contact à personne, sous peine de conséquences graves, sans autres explications.

Burns s'arrêta et scruta son auditoire. Il m'aperçut, opina, puis reprit. Que nous cachait-il ? Qui d'autre était au courant ? La Maison Blanche ? Oui, forcément.

— Depuis, nous avons été contactés tous les jours. M. Bowen, le directeur Weir et moi-même avons chacun reçu un message. Jusqu'à aujourd'hui, aucune révélation d'importance. Mais ce matin, nous avons tous trois reçu des images de l'attentat du Nevada. Il s'agit d'un montage. Nous allons regarder cette cassette ensemble.

Burns fit un petit signe circulaire, et les écrans des cinq ou six moniteurs répartis dans la salle s'animèrent. Le document, en noir et blanc, évoquait un reportage de guerre. Des images visiblement tournées à l'épaule, avec un grain important. Autour de la table, le silence s'était fait.

En plan lointain – deux kilomètres, peut-être – on

voyait les camions et les jeeps militaires arriver à Sunrise Valley. Puis, quelques instants plus tard, les résidents des mobile homes, abasourdis, rejoignaient les camions sous bonne escorte.

Un homme brandissant une arme de poing était abattu sur place. Douglas Puslowski.

Le convoi s'éloignait rapidement en soulevant des nuages de poussière.

Le plan suivant montrait un objet noir et volumineux tournoyant dans les airs. Et explosant avant même de toucher le sol. Une déflagration phénoménale.

Les images de l'explosion elle-même, toutes tournées par la même caméra, avaient également fait l'objet d'un montage. Un rythme haché, mais très efficace.

Le document s'achevait sur un plan lointain de l'explosion. L'avion qui avait largué la bombe n'apparaissait pas à l'image.

— Ils ont tout filmé, déclara Burns. Ils voulaient qu'on sache qu'ils étaient sur place, et que ce sont eux qui ont rasé la localité. Dans quelques minutes, ils vont nous dire pourquoi. Ils doivent nous appeler.

» Le type appelle depuis des téléphones publics, avec des cartes prépayées. Un procédé rustique, mais qui fonctionne. Il nous a appelés depuis des épiceries, des cinémas, des salles de bowling. Il est difficile de retracer les appels dans ce genre d'endroits, comme vous le savez.

Il y eut un instant de silence. Quelques mots s'échangeaient encore à voix basse.

Et le téléphone, au fond de la salle, se mit à sonner.

20.

— La communication est sur ampli pour que chacun puisse l'entendre, nous informa Burns. Ils ont autorisé, et même conseillé, que vous soyez tous présents. Autrement dit, ils veulent un auditoire. Ils accordent beaucoup d'importance au respect des règles imposées, comme vous le verrez.

— C'est qui, ce « ils » ? me chuchota Monnie. Quand je te disais qu'on était en pleine science-fiction. Je parie que ce sont des extraterrestres.

— On ne va pas tarder à le savoir, lui répondis-je. Moi, en tout cas, je refuse de parier contre toi.

Le directeur du FBI enfonça une touche sur sa console, et une voix d'homme, très déformée, jaillit des enceintes.

— Bonsoir. Ici, le Loup.

Je sentis tous mes poils se hérisser. Je connaissais le Loup. Je l'avais pourchassé plus d'une année durant. Et jamais je n'avais affronté un tueur aussi redoutable.

— C'est moi qui suis responsable de la destruction de Sunrise Valley. J'aimerais vous fournir quelques explications – enfin, dans les limites de ce que vous devez savoir. Ou plutôt, devrais-je dire, de ce que vous devez savoir aujourd'hui.

Monnie me regarda, l'air incrédule. Elle aussi

connaissait le Loup. Ce n'eût pas été pire si le diable lui-même nous avait appelés.

— Je suis ravi de pouvoir m'adresser à tous ces messieurs si importants qui ont bien voulu se réunir pour écouter mes divagations. Le FBI, la CIA, la Sécurité intérieure. Je suis extrêmement impressionné. Intimidé, dirais-je même.

— Voulez-vous que nous parlions ou que nous écoutions ? demanda Burns.

— À qui ai-je l'honneur ? Qui vient de prendre la parole ? Auriez-vous l'obligeance de vous présenter ?

— Je suis le directeur Burns, FBI. Je me trouve en compagnie du directeur Weir, de la CIA, et de Stephen Bowen, de la Sécurité intérieure.

Nous entendîmes un croassement qui aurait pu être un rire.

— Comme je le disais, quel honneur, monsieur Burns ! Moi qui pensais que vous laisseriez à l'un de vos laquais le soin de me parler. Au début, tout au moins. Quelqu'un comme le Dr Cross. Mais autant parler de patron à patron. C'est toujours mieux, ne trouvez-vous pas ?

— Lors de notre premier contact, intervint Weir, le chef de la CIA, vous avez expressément exigé un contact avec les plus hauts responsables. Nous vous avons donné satisfaction, nous sommes là. Nous prenons l'attentat du Nevada très au sérieux.

— Vous m'avez effectivement écouté. Voilà qui m'impressionne. On m'avait déjà parlé de vous, monsieur Weir. J'entrevois toutefois l'émergence de petits problèmes entre nous.

— Pourquoi cela ?

— Vous êtes de la CIA. On ne peut donc nullement vous faire confiance. Vous n'avez donc pas lu

Graham Greene ? Quels sont les autres responsables présents ? Levez-vous, que je fasse l'appel.

Burns fit le tour de la salle en énumérant les participants à la réunion. Pour une raison qui m'échappait, il omit de citer deux agents.

— Excellent choix, dans l'ensemble, décréta le Loup quand Burns eut achevé son tour de table. Je suis sûr que vous savez à qui vous fier ou ne pas vous fier, sur qui vous pouvez compter, entre les mains de qui vous pouvez remettre votre propre vie. Pour ma part, je ne suis pas très favorable à la CIA, mais c'est une opinion tout à fait personnelle. Je lui reproche sa propension au mensonge et je la trouve inutilement dangereuse. Quelqu'un, ici, ne partage pas cet avis ?

Personne n'ouvrit la bouche, et le Loup se mit à ricaner.

— Intéressant, vous ne trouvez pas ? La CIA elle-même ne contredit pas mes accusations.

Puis, soudain, le ton changea.

— Maintenant, écoutez ce que je vais vous dire, bande de crétins. Ouvrez bien vos oreilles, parce que c'est très important. Beaucoup de vies pourront être épargnées si vous m'écoutez. Et si vous m'obéissez.

» Tout le monde a compris ? Vous m'écoutez et vous m'obéissez. Je veux vous entendre. Avez-vous tous bien compris ?

Nous répondîmes tous simultanément. Même si cela paraissait grotesque et puérile, nous savions que le Loup voulait nous prouver qu'il était le maître de la situation.

Et soudain, Burns s'écria :

— Il n'est plus là ! Il n'est plus au bout du fil ! Il a raccroché, l'enfoiré !

21.

Nous attendions dans la salle de réunion, comme des pantins, mais le mafieux russe ne nous rappela pas. Je le connaissais bien, ce salopard, et j'avais la conviction qu'il ne nous recontacterait pas. Il jouait avec nous, à présent.

Je finis par réintégrer mon bureau et Monnie Donnelley partit au centre de Quantico, en Virginie. Je n'avais toujours pas été affecté à l'affaire. Officiellement, en tout cas. Le Loup, lui, avait prévu que je serais présent à la réunion de crise. Il m'avait même gratifié d'une insulte. C'était bien dans son style.

Que mijotait-il ? Ce truand flirtant avec le terrorisme avait-il l'intention de déclencher une guerre ? Une poignée d'illuminés, dans le désert, y était parvenue. Pourquoi pas la mafia russe ? Un leader sans scrupules, de l'argent, et le tour était apparemment joué...

Je me sentais impuissant, j'avais l'impression de passer mon temps à attendre, et je me demandais si tout cela était voulu. Le Russe cherchait-il à nous pousser à bout, pour mieux nous manipuler ?

Et je ne cessais de penser, bien sûr, à Geoffrey Shafer. Quel était son rôle dans cette affaire ? J'avais déjà sorti toutes les informations les plus récentes dont nous disposions à son sujet, et nous faisions surveiller l'une de ses anciennes amies, sa psy. Elle s'appelait Elizabeth Cassady et il fallait que je jette un œil sur les notes de ses séances de thérapie avec Shafer.

Un peu plus tard, je finis par appeler chez moi. Nana m'accusa d'avoir englouti son pain au maïs. Le coupable, lui répondis-je, ne peut être que Damon. Elle balaya ma théorie d'un rire aigrelet.

— Alex, tu dois assumer tes actes.

— Bon, d'accord, j'avoue, je suis entièrement responsable. J'ai mangé le pain au maïs, et je ne le regrette pas. Il était vraiment délicieux.

Quelques instants plus tard, j'étais une nouvelle fois convoqué au QG de crise. Tony Woods, du bureau du directeur, s'adressa solennellement aux nombreux agents présents :

— Il y a du nouveau. C'est le carnage, en Europe. (Il marqua un temps d'arrêt, puis reprit :) Deux nouveaux attentats à la bombe incendiaire ont été commis il y a environ une heure. En Europe de l'Ouest.

» Le premier a eu lieu dans le Northumberland, dans le nord de la Grande-Bretagne, près de l'Écosse. Le village de Middleton Hall, quatre cents âmes, n'existe plus. (Il s'interrompit quelques secondes.) Cette fois-ci, les habitants n'ont pas été évacués. Nous ignorons pourquoi. On dénombre une centaine de morts. Un vrai bain de sang. Des familles entières ont péri – hommes, femmes, enfants.

» Nous avons déjà reçu des images de Scotland Yard. Un policier du coin les a tournées depuis le massif des Cheviots, non loin. Je vais vous les passer.

Nous regardâmes le court document en silence, dans un état de stupeur. Il s'achevait sur un plan du policier lui-même, déclarant face à son caméscope : « Je m'appelle Robert Wilson et je suis originaire de

Middleton Hall. J'y ai passé toute ma jeunesse. Ce village n'existe plus. Il y avait une rue principale, deux, trois pubs, quelques magasins, des maisons où vivaient des gens que je connaissais. Le vieux pont des Royal Engineers, à l'entrée du village, a sauté, lui aussi. Le pub où j'allais a disparu. En contemplant ce paysage dévasté, les raisons qui font que je suis chrétien me reviennent à l'esprit. Ce monde m'inspire un tel désespoir... »

Juste après ce document terriblement émouvant, Tony Woods nous parla de l'attentat qui avait eu lieu en Allemagne. Nous ne disposions, cette fois, d'aucune image.

— L'explosion de Lübeck n'a pas fait autant de victimes, mais un groupe d'étudiants a apparemment tenté de résister, et onze d'entre eux sont morts. Lübeck se trouve dans le Schleswig-Holstein, près de la frontière danoise. C'est une région agricole assez isolée. Le Loup ne nous a pas contactés, ni avant, ni après les attentats. Tout ce que nous savons, c'est que c'est l'escalade.

22.

Quand tomberait la prochaine mauvaise nouvelle ? Qui seraient les victimes, cette fois ?

Attendre, sans savoir. Nos nerfs étaient mis à rude épreuve. Un fou s'amusait à faire sauter des localités entières, et nous ne savions pas pourquoi.

Pour l'instant, j'essayais de me concentrer sur un autre psychopathe, le Furet. Plongé dans l'énorme dossier, j'avais l'impression de voir sa tête, d'entendre sa voix. Je m'en serais bien passé. Je rêvais de le mettre hors d'état de nuire, et définitivement, cette fois. J'avais donc décidé de compulser toutes les notes prises par la psy qui l'avait suivi à l'époque où il vivait à Washington. Geoffrey Shafer ne s'était pas contenté d'être le patient du Dr Elizabeth Cassady, il avait également été son amant.

Ces notes étaient pour le moins stupéfiantes, surtout lorsqu'on savait de quelle manière la relation docteur-patient avait évolué. Les erreurs d'appréciation de la psy sautaient aux yeux.

Première séance
Son principal problème, selon lui : « Au travail, j'ai du mal à me concentrer sur mes projets. » Affirme que ses activités sont « classées secret défense ». Qu'à son travail, certains de ces collègues lui ont dit qu'il se

comportait « bizarrement ». Déclare être marié, père de trois enfants, deux jumelles et un garçon. Affirme être « heureux » chez lui et avec sa femme.

Impression
Bien habillé, très séduisant, il s'exprime avec beaucoup d'aisance. Une certaine nervosité, une grande présence. Décrit ses réalisations de manière très grandiloquente.

Pathologies ?
Psychose disthymique
Délire chronique
Cyclothymie liée à l'absorption de stupéfiants ou d'alcool
Hyperactivité due à un déficit d'attention
Troubles de la personnalité
Dépression unipolaire

Séance 2
Arrivé avec dix minutes de retard, s'irrite quand je lui demande pourquoi. Déclare se sentir « hors du commun », mais demeure mal à l'aise et nerveux pendant la séance.

Séance 6
Quand je l'interroge sur sa vie de famille et reviens sur les problèmes sexuels dont il m'a parlé la semaine dernière, il réagit bizarrement : il ricane, se met à faire les cent pas, sort des grivoiseries, pose des questions sur ma vie privée. Dit qu'au lit, avec sa femme, il fantasme sur moi et, du coup, éjacule prématurément.

Séance 9
Il est très calme aujourd'hui, presque effacé, mais m'assure qu'il n'est pas déprimé. A l'impression que

son entourage « *ne le comprend pas* ». *Continue à me parler des problèmes sexuels qu'il rencontre. La semaine dernière, avec sa femme, il a eu une panne d'érection, même en fantasmant sur moi. Me raconte ses fantasmes sexuels avec une foule de détails, et refuse d'abréger quand je le lui demande. Admet que, pour lui, je suis devenue une* « *obsession* ».

Séance 11
Changement d'affect très marqué aujourd'hui. Plein d'énergie, euphorique, débordant de charisme (possibilité de trouble sociopathe). Quand je lui demande s'il veut poursuivre les séances, il me répond : « *Je me sens extraordinairement bien.* » *Quand je l'interroge sur sa vie de couple, il me dit :* « *Ça ne pourrait pas aller mieux. Elle me voue une véritable adoration, vous savez.* »

Avons abordé des comportements à risques : la semaine dernière, au volant de sa voiture, il a volontairement entraîné la police à sa poursuite en roulant à toute vitesse. Il évoque aussi un rapport sexuel avec une partenaire autre que sa femme, peut-être une prostituée, en disant « *c'était assez violent* ». *Il me raconte tout ça aujourd'hui en me draguant presque ouvertement. Il est persuadé que je le* « *veux* ».

Séance 14
Il a manqué la dernière séance, et n'a pas téléphoné pour me prévenir. Aujourd'hui, il est arrivé en s'excusant, puis il est devenu irritable et nerveux. Déclare avoir besoin de « *s'offrir une récompense* ». *Parle de montée de sa libido, encore une fois, dit avoir appelé plusieurs call-girls, évoque son intérêt pour le sadomasochisme, qu'il souhaiterait pratiquer.*

Me dit qu'il est sans doute « amoureux » de moi, sans la moindre émotion ! ! ! J'avoue être stupéfaite. Le colonel Shafer semble suivre ces séances dans l'unique but de me séduire. Et malheureusement, ça marche.

23.

La lecture des curieux comptes-rendus du Dr Cassady me laissait moi aussi, il faut bien l'admettre, stupéfait. Après la seizième séance, la psy finissait par prendre le parti de son patient, et elle ne consignait plus ses états d'âme.

Puis le Dr Cassady avait cessé de prendre des notes. Une attitude étrange, et peu conforme à la déontologie de la profession. Sa liaison avec Shafer avait dû commencer. Décidément, les comptes-rendus du Dr Cassady prouvaient bien, si besoin était, que Geoffrey Shafer était un psychopathe aussi dangereux que rusé.

Tard dans la soirée, je fus une nouvelle fois convoqué au QG de crise. Le Loup devait nous appeler. L'instant était crucial. Le compte à rebours allait commencer.

Le téléphone sonna.

Le Loup commença par se montrer relativement courtois.

— Merci de vous être une nouvelle fois réunis à ma demande. Je vais m'efforcer de ne pas vous décevoir, et de ne pas gâcher votre précieux temps. Messieurs Burns, Bowen, Weir, avez-vous quelque chose à dire avant que je ne commence ?

— Vous nous avez demandé d'écouter, rétorqua Burns. Nous vous écoutons.

Le Loup éclata de rire.

— Vous me plaisez, Burns. Vous ferez, je n'en doute pas, un adversaire valeureux. Au fait, M. Mahoney se trouve-t-il dans la salle ?

Le responsable du HRT – pour Hostage Rescue Team –, créé par le FBI, était un ami. Il regarda Ron Burns, qui lui fit signe de répondre.

Ned Mahoney, penché en avant, fit un doigt d'honneur à l'adresse du Loup.

— Oui, je suis là, je vous écoute. (Et il poursuivit, le majeur toujours dressé :) Que puis-je faire pour vous ?

— Vous pouvez partir, monsieur Mahoney. Je crains que votre présence ne soit pas indispensable. Vous êtes trop instable à mon goût. Trop dangereux. Et je parle très sérieusement.

D'un geste, Burns demanda à Mahoney de s'en aller.

— Nous nous passerons du HRT, reprit le Loup. Si on en arrivait là, tout serait perdu, je peux vous l'assurer. J'espère que vous commencez à comprendre mon raisonnement. Je ne veux pas qu'on mobilise des équipes spéciales, je ne veux pas que ces investigations se poursuivent. Rappelez vos chiens.

» Est-ce que tout le monde m'écoute ? Personne ne doit tenter de découvrir mon identité, ou *notre* identité. M'avez-vous bien compris ? Si oui, répondez.

Nous répondîmes oui en chœur. Message reçu. Une fois de plus, le Loup tentait de nous infantiliser. Ou bien était-ce, tout simplement, pour le plaisir d'humilier le FBI, la CIA et la Sécurité intérieure ?

— Ceux qui n'ont pas répondu sont priés de quitter la salle, reprit le Loup. Non, non, rasseyez-vous, je vous fais juste marcher. Je suis ce que vous pourriez appeler « un créatif ». Mais je ne plaisante pas au sujet de M. Mahoney, et je ne plaisante pas quand je déclare m'opposer à toute enquête. Je parle très sérieusement.

» Maintenant, passons à l'ordre du jour, si vous le voulez bien. L'instant est des plus intéressants. J'espère que quelqu'un prend des notes.

Il s'interrompit une quinzaine de secondes. Puis :

— Je tiens à vous communiquer le nom des villes auxquelles je vais m'attaquer. Le moment me paraît opportun.

» Elles sont au nombre de quatre, et je leur suggère de se préparer au pire des scénarios. Ces villes doivent envisager une destruction totale.

Un autre silence.

— Les villes ciblées sont... New York... Londres... Washington... Francfort. Ces quatre villes doivent se préparer à subir les pires catastrophes de l'histoire. Et pas un mot de cela au grand public. Sans quoi je passe immédiatement à l'attaque.

Il raccrocha. Sans nous avoir donné la moindre date-butoir.

24.

Le président des États-Unis sortait de deux heures de réunion, on venait de lui tendre son quatrième gobelet de café noir, et il n'était que 5 heures du matin.

Le Conseil de sécurité nationale s'était réuni dans son bureau peu après 3 h 30. Plusieurs spécialistes du renseignement s'étaient joints aux directeurs du FBI et de la CIA. Tout le monde prenait les menaces du Loup très au sérieux.

Le président s'estimait suffisamment briefé pour les entretiens qui l'attendaient, des entretiens de la plus haute importance, mais un doute subsistait dans son esprit. Rien n'était évident, dans une situation d'extrême urgence, lorsque la politique entrait en ligne de compte.

Il finit par se tourner vers son chef d'état-major.

— Bon, je crois qu'il faut que je me jette à l'eau. Allons-y.

Quelques minutes plus tard, il retrouvait le chancelier allemand et le Premier ministre britannique en vidéoconférence, dans ce monde étrange où l'image et le son ne sont jamais parfaitement synchronisés.

Le président apprit, à son grand désarroi, que les services de renseignement des deux pays concernés ne disposaient d'aucun élément sur l'identité du Loup, pas plus qu'ils ne savaient où le trouver. Il informa ses interlocuteurs que les Américains n'en savaient pas plus qu'eux.

— Nous sommes enfin d'accord sur un point, déclara le chancelier allemand.

— Tout le monde sait qu'il existe, enchaîna le Premier ministre anglais, mais personne ne peut le localiser. Nous pensons que c'est un ancien du KGB, nous pensons qu'il approche la cinquantaine, mais tout ce que nous savons, c'est qu'il est extrêmement intelligent. Il y a de quoi devenir fou.

Ils finirent par tomber d'accord sur un autre point.

Il ne pouvait être question de négocier avec ce terroriste.

Il fallait traquer le Loup et l'éliminer. Physiquement.

II

FAUSSES PISTES

25.

Aux yeux du Loup, toutes les grandes villes offraient désormais le même visage aseptisé, sans intérêt : la mondialisation était passée par là, et la grande criminalité lui avait emboîté le pas. Le Russe passait toujours une partie de la nuit à arpenter les rues d'une capitale quelconque. Peu importait laquelle, puisqu'il s'y sentait toujours aussi mal à l'aise.

Ce soir, il se trouvait à Washington. Pour peaufiner la suite du scénario.

Personne ne comprenait le Loup. Il n'y avait pas une personne au monde capable de le comprendre. Bien sûr, personne ne comprenait personne et cela, n'importe quel individu un tant soit peu sensé le savait. Mais nul ne pouvait appréhender la puissance de la paranoïa qui habitait le Loup. Une paranoïa ancrée depuis longtemps au plus profond de son être et qu'il percevait presque physiquement, comme si on lui avait injecté un poison à diffusion lente. Dire que cela s'était passé à Paris... Et cette paranoïa, cette certitude que la mort pouvait frapper à tout instant, et forcément au mauvais moment, avait fini par susciter en lui une sorte de passion frénétique. Pas un amour de la vie, mais un furieux besoin de jouer le jeu, de gagner à tout prix, ou tout au moins de ne jamais perdre.

Le Loup se promenait donc dans les rues du centre de Washington, en complotant d'autres meurtres.

Il était seul. Comme toujours. Régulièrement, il malaxait sa petite balle noire. Un porte-bonheur ? Non, pas vraiment, mais paradoxalement, cette petite balle en disait long sur lui...

Prendre le temps de réfléchir, prévoir, puis passer à l'acte. Il était persuadé que le gouvernement ne donnerait pas suite à ses requêtes. Il ne pouvait pas céder. Pas maintenant, pas aussi vite.

Il fallait lui donner une autre leçon. Et encore, serait-ce suffisant ?

Voilà pourquoi un petit tour en banlieue, chez le directeur du FBI, lui paraissait indispensable.

M. Burns avait une vie très enviable, aux yeux du Loup. Une belle petite vie de famille.

Il était propriétaire d'une grande villa style ranch, simple mais bien entretenue, très rêve américain. Il y avait une Mercury quatre portes bleu nuit dans l'allée du garage, trois VTT sur le porte-vélos, un panier de basket avec un panneau en verre et un beau carré blanc au-dessus de l'anneau.

Cette famille devait-elle périr ? Il pouvait la supprimer sans grandes difficultés. Et avec un certain plaisir. Une fin amplement méritée.

Mais était-ce là le moyen le plus efficace de faire passer le message ?

Le Loup n'en était pas sûr, ce qui signifiait que la réponse était probablement non.

En outre, une autre cible sollicitait son attention.

Il avait une vieille dette à régler.

Qu'imaginer de plus réjouissant ?

La vengeance est un plat qui se mange froid, songea le Loup en malaxant méthodiquement sa balle de caoutchouc.

26.

Bienvenue dans les bureaux du gouvernement fédéral, temple du dieu Procédure, où rien ne peut se faire normalement. Cette litanie, je la psalmodiais presque chaque fois que je pénétrais à l'intérieur du Hoover Building. Et ces jours-ci, je la trouvais particulièrement pertinente.

Deux récentes directives de la Maison Blanche avaient contraint le FBI à modifier son plan d'action. Le dispositif de lutte contre le Loup comprenait désormais deux catégories distinctes : « enquête » et « gestion des conséquences ». Le FBI chapeauterait les investigations ; la Federal Emergency Management Agency se chargerait de la gestion des conséquences.

Sur le papier, tout cela était parfait. Mais, à mon humble avis, cela ne pouvait pas fonctionner.

Comme la menace visait une agglomération de première importance – deux, en fait, New York et Washington – on avait réactivé la Domestic Emergency Support Team, cellule d'urgence chargée des problèmes de sécurité intérieure. La réunion se tenait au quatrième étage du Hoover Building.

Premier point : évaluation de la menace. Bien entendu, après les trois premiers attentats, nous prenions les « terroristes » très au sérieux. C'était le nouveau directeur adjoint du FBI, Robert Campbell McIllvaine Jr., qui dirigeait les débats. Extrêmement compétent, il avait différé son départ en retraite, direction la Californie, à la demande de Burns. Tout le monde était d'accord : cette fois-ci, contrairement à ce qui s'était passé à plusieurs reprises au cours des deux dernières années, il ne s'agissait pas d'une fausse alerte.

La session suivante, consacrée à la gestion des conséquences de l'alerte, fut logiquement placée sous l'autorité de la FEMA. Comment organiser les secours si des explosions dévastaient New York ou Washington, voire les deux villes simultanément ? Il ne fallait pas minimiser les dangers d'une évacuation massive et soudaine ; les mouvements de panique, à New York notamment, pouvaient faire des milliers de victimes.

Même si nous ne brassions que des hypothèses, jamais je n'avais participé à une réunion aussi inquiétante, et cela n'allait pas en s'améliorant. Après une très courte pause-déjeuner – pour ceux qui se sentaient capables d'avaler quelque chose – et quelques coups de fil, nous abordâmes le chapitre « évaluation des suspects ».

Qui est derrière tout cela ? Le Loup ? La mafia russe ? Une autre organisation ? Que veulent-ils ?

La liste des alternatives se réduisit rapidement, par élimination : Al-Qaida, le Hezbollah, le Djihad islamique égyptien, voire un groupuscule opérant, moyennant finances, pour le compte d'une de ces organisations.

Et nous en vînmes enfin aux mesures prises par le FBI. Aux États-Unis comme en Europe et au Moyen-Orient, un certain nombre d'individus faisaient l'objet d'une surveillance statique ou rapprochée. L'une des plus vastes enquêtes de l'histoire avait commencé.

Au mépris, bien entendu, des menaces explicites du Loup.

Ce soir-là, je passai encore de longues heures à relire toutes les notes concernant Geoffrey Shafer. L'opération avait-elle été montée en Europe ? En Angleterre, où Shafer avait vécu si longtemps ? En Russie ? Dans l'une des communautés russes installées aux États-Unis ?

Selon plusieurs rapports, Shafer avait recruté des mercenaires pour l'Afrique, et cela pendant de nombreuses années.

Puis un détail me vint à l'esprit.

Lors de son dernier voyage en Angleterre, Shafer s'était déplacé en fauteuil roulant pour tromper notre vigilance. Il avait traversé tout Londres ainsi. Mais sans doute ignorait-il que nous avions fini par découvrir son subterfuge.

C'était un élément important. Il fallait l'intégrer dans nos paramètres de recherche.

Le Furet se déplaçait peut-être également en fauteuil roulant ici, à Washington.

Et si c'était le cas, nous avions peut-être, enfin, une longueur d'avance sur lui.

Sur cette note d'espoir, je me résolus à aller me coucher. En espérant que le téléphone ne viendrait pas troubler ces quelques heures de répit.

27.

Le lendemain matin, de très bonne heure, bien calé dans son fauteuil roulant pliant noir, le Furet fendit la foule bruyante qui s'agitait dans la gare d'Union Station. Il était de fort bonne humeur. Il adorait gagner, et pour l'instant, il ne cessait de marquer des points.

Geoffrey Shafer avait de très bons contacts dans les milieux militaires, à Washington, ce qui le rendait extrêmement précieux. Il avait également des contacts à Londres, l'une des autres villes choisies pour cibles, mais ce n'était qu'un détail mineur aux yeux du Loup. Peu lui importait. Il avait retrouvé un rôle dans une pièce et il savourait cette impression d'être de nouveau *quelqu'un*.

En outre, il avait réellement envie de faire beaucoup de victimes, ici, en Amérique du Nord. Les Américains, il les méprisait. Le Loup lui avait offert l'occasion de faire de beaux dégâts. Le *zamochit*. L'art de briser les os. De véritables hécatombes.

Ces temps-ci, Shafer portait les cheveux courts, teints en noir. Il ne pouvait dissimuler sa grande taille, mais un ex-associé lui avait donné une excellente idée. De jour, il se déplaçait dans Washington grâce à ce fauteuil roulant dernier modèle qu'il pouvait facilement replier et ranger à l'arrière de son break Saab. Si on le remarquait – ce qui arrivait régulièrement – ce n'était pas pour les bonnes raisons...

À 6 h 20, ce matin-là, Shafer avait rendez-vous avec un contact à l'intérieur de la gigantesque gare. Ils se retrouvèrent dans la file d'attente d'un café Starbucks. Le contact se trouvait derrière Shafer. Ils entamèrent la conversation comme deux personnes échangeant quelques mots au hasard d'une rencontre.

— Ils passent à l'action, murmura le contact, qui était l'assistante d'un homme occupant un poste important au FBI. Ils n'ont pas tenu compte des mises en garde. Les villes ciblées sont déjà sous haute surveillance. Ils vous recherchent ici, bien entendu. C'est l'agent Cross qui vous a été assigné.

— Je n'en attendais pas moins, commenta Shafer avec son rictus habituel.

Ces informations ne le surprenaient pas. Cette réaction, il l'avait prévue. Tout comme le Loup. Quand vint son tour, il commanda un café au lait. Puis il enfonça un bouton, et son fauteuil roulant glissa vers la rangée de téléphones qui jouxtait les guichets de vente de billets. Il passa un appel local tout en sirotant son café bien chaud.

— J'ai un petit boulot pour vous, très bien payé, dit-il à la personne qui décrocha. Cinquante mille dollars pour, disons, une heure de votre temps.

— Vendu, répondit la jeune femme, qui comptait parmi les meilleurs tireurs d'élite de la planète.

28.

Le rendez-vous avec la « sous-traitante » eut lieu juste avant midi dans l'espace restauration du centre commercial Tysons Corner. Le colonel Shafer retrouva le capitaine Nicole Williams à la table d'un Burger King.

Il y avait des boissons gazeuses et des hamburgers sur la table, mais ces derniers restèrent intacts. Pour Shafer, ces « saloperies amerloques étaient juste bonnes à boucher les artères ».

— Sympa, comme moyen de locomotion, fit le capitaine Williams en désignant le fauteuil roulant. Vous n'avez vraiment honte de rien...

— Peu importent les moyens, Nikki, rétorqua Shafer. Vous me connaissez suffisamment. Quand il y a un job à faire, je fais ce qu'il faut.

— Oui, je vous connais, colonel. En tout cas, merci d'avoir pensé à moi.

— Attendez de savoir de quoi il s'agit avant de me remercier.

— C'est pour cela que je suis ici. Je vous écoute.

Non sans une pointe d'inquiétude, Shafer se fit la réflexion que Nikki Williams s'était considérablement laissée aller depuis leur dernière collaboration. Elle n'était pas très grande, mais devait peser, aujourd'hui, dans les cent kilos...

Et pourtant, il sentait toujours chez elle l'assurance propre aux grandes professionnelles. Ils avaient travaillé six mois ensemble en Angola, et dans sa spécialité, le capitaine Williams excellait. Elle n'avait jamais failli à la moindre de ses missions.

Shafer décrivit à Nikki le travail à exécuter, sans détailler le contexte, et répéta l'offre : cinquante mille dollars pour un peu moins d'une heure. Ce qu'il aimait bien, chez Nikki, c'est qu'elle ne se plaignait jamais. Elle n'évoquait jamais la difficulté d'une mission, ni les risques encourus.

Lorsqu'il lui eut fourni les principaux éléments du contrat, mais sans préciser qui était la cible, elle ne lui posa que deux questions :

— Quelle est la prochaine étape ? Quand partons-nous ?

— Demain, à 13 heures, vous serez à l'aéroport régional de Manassas, Virginie. Un hélicoptère MD-530 se posera à 13 h 05. Il y aura un HK PSG-1 à bord.

Nicole Williams fit la moue.

— Euh, si ça vous ne dérange pas, je viendrai avec mon propre matos. Je préfère ma Winchester M70, avec des 300 Win Magnum à pointe creuse. Je les ai testées sur le terrain, et je sais que pour ce genre de boulot, il n'y a pas mieux. Vous m'avez bien dit qu'il fallait traverser une vitre ?

— Effectivement, capitaine. Le cible sera dans son bureau, dans une tour.

Shafer s'inclina. Il avait eu l'occasion de travailler avec nombre de tireurs d'élite, chacun avec sa méthode, ses tics. Il s'étonnait, en fait, que Nikki n'exige pas davantage de modifications.

— Alors, qui va mourir, demain ? finit-elle par lui demander. Il faut que je le sache, évidemment.

Shafer lui communiqua le nom de la cible, et à sa grande satisfaction, la jeune femme se contenta d'un lapidaire :

— Mon tarif vient de doubler.

Shafer opina lentement.

— Entendu. Pas de problème, capitaine.

Nikki Williams sourit.

— Aurais-je dû demander plus ?

Shafer hocha de nouveau la tête.

— Oui, vous auriez dû, mais je vais tout de même vous payer cent cinquante mille dollars. Vous avez intérêt à ne pas le louper.

29.

Nous tenions peut-être enfin un indice sérieux, grâce au détail qui m'était revenu à l'esprit. Le fauteuil roulant !

Vers 10 heures du matin, je sautai dans ma voiture et démarrai en trombe, direction le Farragut, sur Cathedral Avenue. Trois ans plus tôt, Geoffrey Shafer avait tué ma coéquipière, Patsy Hampton, dans le garage de cet immeuble. C'était ici qu'habitait sa psy.

Nous avions placé le Dr Elizabeth Cassady sous surveillance depuis trente-six heures, et nous avions eu le nez creux, semblait-il. Le Furet était sorti de sa tanière. Il s'était garé au sous-sol, à quelques mètres de l'endroit où Patsy avait été sauvagement assassinée, avant de monter au 10D, l'appartement en terrasse qu'occupait toujours le Dr Cassady.

Il se déplaçait en fauteuil roulant.

Quatre autres agents s'engouffrèrent dans l'ascenseur en même temps que moi, arme au poing.

— Il est extrêmement dangereux, leur rappelai-je quand nous atteignîmes le dernier étage. Et je ne dis pas cela à la légère, soyez-en sûrs.

Les murs avaient été repeints depuis mon dernier passage. Ces lieux m'étaient si douloureusement familiers. Je pensais à la mort de Patsy, au Furet, et je sentais la colère me gagner.

Je sonnai au 10D.

— FBI, ouvrez ! C'est le FBI, Dr Cassady !

La porte s'ouvrit, et je reconnus aussitôt la belle et grande femme blonde.

Elizabeth Cassady m'avait reconnu, elle aussi.

— Dr Cross, quelle surprise ! Non, je ne devrais pas dire ça...

J'entendis le bruit de roulement d'un fauteuil roulant. Je brandis mon arme, en écartant le Dr Cassady.

La braquai en direction du fauteuil.

— Arrêtez-vous ! On ne bouge plus !

Quand je pus enfin distinguer nettement le fauteuil et son occupant, je dus me résoudre à abaisser mon Glock, en retenant un juron. Tout cela sentait le coup fourré.

L'homme dans le fauteuil roulant me répondit :

— Comme vous pouvez vous en rendre compte, je ne suis pas le colonel Geoffrey Shafer. Et je n'ai jamais eu l'honneur de le rencontrer. Je m'appelle Francis Nicolo, je suis comédien professionnel et handicapé ; je vous serai donc reconnaissant de me pas me brutaliser.

» On m'a demandé de venir ici et on m'a payé grassement pour cela. On m'a chargé de vous dire que le colonel vous donne le bonjour et que vous auriez dû suivre les instructions explicites qui vous ont été données. Et comme vous êtes ici, c'est ce que vous ne les avez pas suivies.

L'homme dans le fauteuil roulant inclina le buste.

— Voilà, j'ai joué mon rôle. C'est tout ce que je sais. Comment m'avez-vous trouvé ? Assez bon ? Vous pouvez applaudir si vous le souhaitez.

— Vous êtes en état d'arrestation, lui dis-je.

Je me tournai vers Elizabeth Cassady.

— Vous aussi. Où est-il ? Où est Shafer ?

Je lus soudain sur son visage une immense tristesse.

— Je n'ai pas vu Geoffrey depuis des années. Il me manipule comme il vous manipule. Et pour moi, qui l'aimais, c'est encore plus dur. Je vous conseille vivement de vous y habituer. C'est comme ça qu'il fonctionne, et je suis bien placée pour le savoir.

Moi aussi, me dis-je. Moi aussi.

30.

Impressionnant, songea le capitaine Nikki Williams. Ce plan était aussi brillant qu'audacieux.

Le petit aéroport régional de Manassas, qui couvrait environ quatre cents hectares, ne ressemblait à rien. Deux pistes parallèles, une aérogare et une tour de contrôle. Pour cette mission, l'endroit était parfait.

Ils ont vraiment pensé à tout. Ça va marcher, songea-t-elle.

Quelques minutes après son arrivée, le capitaine Williams vit son hélicoptère se poser sur le tarmac de l'aérodrome. Un MD-350, l'appareil idéal pour ce genre de mission. D'où sortait-il ?

L'opération s'annonçait plutôt bien. Peut-être serait-elle même moins casse-cou que prévu.

Nikki Williams courut vers l'hélicoptère avec, à l'épaule, la housse de toile renfermant son fusil. Le pilote devait lui donner les autres pièces du puzzle.

— Le plein est fait, lui annonça-t-il. On met le cap au nord-est, au-dessus de la Route 28, et je me pose trente secondes à Rock Creek Park.

— Rock Creek Park ? s'étonna le capitaine Williams. Je ne vous suis pas.

— Je me pose juste le temps que vous vous

installiez sur le patin. Ce sera votre position de tir. Ça vous va ?

— Parfait. Je comprends mieux.

C'était risqué, mais parfaitement logique. Comme tout le reste, d'ailleurs. Côté météo, le jour avait été bien choisi : un ciel couvert, des vents faibles. Le MD-530, rapide et très maniable, était suffisamment stable en vol stationnaire. À l'entraînement, Williams avait déjà tiré des milliers de cartouches depuis ce type d'appareil, et par tous les temps. Elle était devenue imbattable dans cette spécialité...

— Prête ? lui demanda le pilote une fois qu'elle eut pris place à bord. On va faire un passage de moins de neuf minutes dans l'espace aérien de Washington.

Williams leva les deux pouces. Le MD-530 s'éleva, mit le cap au nord-est et traversa très vite le Potomac. Il volait très bas, à une altitude d'à peine trente ou quarante pieds, et à une vitesse d'environ quatre-vingts nœuds.

L'hélicoptère se posa moins de quarante secondes à Rock Creek Park.

Le capitaine Williams se mit debout sur le patin droit, juste derrière le pilote, et arrima son baudrier. Elle lui fit signe de re-décoller.

— On y va. Au boulot...

L'hélicoptère s'envola en direction de sa cible.

Moins de neuf minutes en zone rouge. Génial. Le type n'aura pas le temps de comprendre ce qui lui arrive, pensa-t-elle.

31.

J'avais regagné mon bureau avant midi, à bout de nerfs, lessivé. Plongé dans la base de données du National Crime Information Center, j'étais en train d'avaler des litres de café noir, ce qui était vraiment la pire des choses à faire. Saloperie de Furet, pensai-je. Il a su que nous étions au courant du coup du fauteuil roulant. Comment ? Il doit avoir un informateur. Une taupe l'a renseigné.

Vers 13 heures, un signal d'alarme strident fit sursauter tout le monde.

Au même instant, mon bipeur sonna. Menace terroriste.

J'entendis, dans le couloir, des gens crier : regardez dehors, regardez dehors, vite !

— Qu'est-ce qu'ils foutent, bordel, ces deux-là ? hurla quelqu'un.

Je jetai un œil à l'extérieur et aperçus deux individus en treillis qui traversaient la cour intérieure au pas de course. Ils venaient de dépasser la fameuse statue de bronze, « Fidélité, Courage, Intégrité ».

La première chose qui me vint à l'esprit : des kamikazes. Forcément, puisqu'ils n'étaient que deux...

Charlie Kilvert, un agent travaillant dans le bureau voisin, pointa son nez dans l'embrasure de la porte.

— Tu vois ça, Alex ? Tu y crois, toi ?

— Oui, je vois, mais je n'arrive pas à y croire.

J'étais littéralement collé à la vitre. En l'espace de quelques secondes, des agents lourdement armés avaient fait irruption dans la cour aux dalles de granit rose.

Trois hommes, puis au moins une douzaine. Les sentinelles en faction à l'extérieur du bâtiment étaient elles aussi en train de rappliquer à toutes jambes.

Plus d'une dizaine d'armes étaient à présent braquées sur les deux types en treillis, qui s'étaient immobilisés. Ils donnaient l'impression de vouloir se rendre.

Les agents, eux, restaient à bonne distance. Peut-être craignaient-ils, comme moi, d'avoir affaire à des bombes humaines, mais ils ne faisaient vraisemblablement que respecter la procédure.

Les suspects, mains bien en l'air, s'allongèrent lentement, délibérément, sur le ventre. Étrange...

C'est alors que j'entrevis le nez et le rotor d'un hélicoptère près de l'angle sud du Hoover Building.

Dans le souffle des pales et le fracas des turbines, les agents présents dans la cour pointèrent leurs armes sur l'ombre menaçante, en hurlant à l'hélico l'ordre de dégager. La zone était, bien entendu, interdite de survol.

Brutalement, l'appareil décrocha et disparut.

Quelques secondes plus tard, Charlie Kilvert réapparaissait à la porte de mon bureau.

— Quelqu'un s'est fait descendre au-dessus !

Je faillis renverser Charlie en me ruant hors de la pièce.

32.

Tel un insecte fou jouant à cache-cache, le MD-530 se faufilait avec une aisance déconcertante entre les tours de Washington.

Pour Nikki Williams, ce vol en zigzag et à très basse altitude visait non seulement à leur permettre d'éviter les radars, mais aussi à dérouter les observateurs au sol. Ils allaient si vite que personne n'aurait le temps de réagir, et jamais un chasseur de l'Air Force ne pourrait voler aussi près des gratte-ciel.

Elle aperçut enfin la cible. Wow ! L'opération de diversion semblait s'être déroulée comme prévu, et il y avait beaucoup de monde aux fenêtres du siège du FBI. Nikki sentit un frisson d'excitation lui zébrer le dos. Dans l'armée, elle avait déjà participé à des actions d'envergure, mais pas assez souvent à son gré, et en étant toujours soumise à mille règles.

Aujourd'hui, ma petite, tu n'as qu'une seule consigne : descendre ce type et filer avant que quiconque puisse faire quoi que ce soit, se dit-elle.

Le pilote avait les coordonnées de la fenêtre à viser. Il aperçut deux hommes en costume sombre, l'œil rivé sur ce qui se passait en bas. Le capitaine avait la description de sa cible. Quand le type verrait son fusil, à une trentaine de mètres à peine, il serait déjà mort et elle n'aurait plus qu'à prendre le large.

L'un des deux hommes cria quelque chose et tenta d'écarter l'autre. Un vrai héros.

Cela ne changeait rien. Williams appuya sur la détente. Un jeu d'enfant, pensa-t-elle.

Et maintenant, on dégage !

L'hélicoptère décrocha pour repartir vers la Virginie, en louvoyant une fois de plus entre les tours de la capitale. Il lui fallut moins de trois minutes et demie pour atteindre la zone où ils s'étaient brièvement posés. Nikki Williams nageait dans l'euphorie. Elle avait fait du bon boulot, et elle allait toucher une belle somme. Ses honoraires avaient doublé, mais elle le valait bien !

L'hélicoptère se posa en douceur. Elle descendit du patin, fit un petit salut au pilote. Lequel tendit le bras. Il abattit la jeune femme de deux balles, l'une dans la gorge, l'autre en plein front. Cela ne lui plaisait pas, mais il devait le faire, puisqu'on le lui avait demandé. Pas question de désobéir aux ordres. Le capitaine Williams avait, semblait-il, parlé de sa mission à quelqu'un. Le pilote n'en savait pas davantage.

Il ne connaissait que sa propre partition.

33.

Nous ne savions pas grand-chose.

Les deux individus arrêtés dans la cour étaient en garde à vue au premier étage. Qui étaient-ils ?

Le bruit courait que Ron Burns avait été abattu, que mon patron et ami était mort.

On disait qu'il avait été victime d'un tireur alors qu'il se trouvait dans son bureau. Je ne pus m'empêcher de faire le rapprochement avec l'assassinat de Stacy Pollack en début d'année. Le Loup n'avait jamais revendiqué l'exécution de la directrice du Strategic Information and Operations Center, mais nous savions qu'il en était le commanditaire. Burns avait juré de se venger...

Une demi-heure environ après l'attaque, on me demanda de descendre au premier. Tant mieux. Il fallait que je fasse quelque chose si je ne voulais pas devenir fou.

— Du nouveau sur la fusillade ? demandai-je à l'adjoint qui m'avait appelé.

— Rien, à ma connaissance. Il n'y a que des rumeurs, personne ne dément, personne ne confirme. J'ai parlé à Tony Woods, à la direction, et il refuse de me dire quoi que ce soit. C'est le silence radio complet. Désolé, Alex.

— Mais il s'est bien passé quelque chose, non ? Quelqu'un de chez nous s'est fait descendre ?

— Oui, en haut.

Décidément, chaque jour m'apportait son lot d'ignominies, et j'étais au bord de la nausée. Je descendis aussi vite que je pus au premier étage, où un gardien me conduisit dans un couloir. Il y avait là des cellules dont j'ignorais l'existence. L'agent qui m'accueillit m'expliqua qu'il souhaitait que j'interroge les deux hommes qu'on venait d'arrêter sans briefing préalable, pour les jauger.

Dans la minuscule pièce, je découvris deux blacks en treillis qui n'en menaient apparemment pas large. Des terroristes ? J'avais des raisons d'en douter. Trente-cinq, quarante ans, difficile à dire. Hirsutes, mal rasés, vêtements sales et froissés, ils puaient la sueur et pire encore...

— On a déjà tout raconté, glapit l'un, au visage raviné et grimaçant. Combien de fois va falloir qu'on répète notre histoire, bordel ?

Je m'assis face à eux.

— Il s'agit d'une enquête criminelle, leur dis-je. Quelqu'un a été tué dans ce bâtiment.

L'autre suspect, qui n'avait pas encore dit un mot, mit les mains sur son visage et commença à se balancer de droite à gauche en gémissant : « Non, non, oh, non... »

— Enlevez vos mains et écoutez-moi !

Les deux hommes se turent et me regardèrent. Ils m'écoutaient, enfin.

— Je veux entendre votre version des faits. Tout ce que vous savez, sans oublier le moindre détail. Et je me fous pas mal que vous ayez déjà tout raconté à mes collègues. Vous m'entendez ? Vous m'avez bien compris ? Peu m'importe que vous ayez déjà tout dit cinq fois, dix fois, cent fois, d'accord ?

» Pour l'instant, vous êtes tous les deux soupçonnés de meurtre. Je veux entendre votre version. Dites-moi tout. Je suis votre seule bouée de sauvetage. Parlez, je vous écoute.

Et ils parlèrent. De manière un peu décousue parfois, mais ils parlèrent. Au bout de deux heures, je ressortis de la salle d'interrogatoire en ayant le sentiment d'avoir entendu toute la vérité, fût-ce sous une forme un peu schématique.

Ron Frazier et Leonard Pickett étaient deux SDF qui vivaient près de la gare centrale, deux anciens soldats. On les avait payés pour qu'ils viennent s'agiter au pied de l'immeuble du FBI. Les treillis leur appartenaient, c'étaient les vêtements qu'ils portaient tous les jours en faisant la manche dans les rues de Washington.

Dans une autre pièce, je retrouvai deux agents haut placés dans la hiérarchie pour les briefer. Ils paraissaient aussi tendus que moi. J'aurais aimé savoir ce qu'ils savaient à propos de Ron Burns.

— Je ne crois pas que ces deux pauvres bougres sachent grand-chose, leur dis-je. Un type dont la description correspond à celle de Geoffrey Shafer, et s'exprimant avec un accent anglais, leur a donné deux cents dollars pour qu'ils fassent leur petit cirque. Maintenant, à votre tour. Dites-moi ce qui s'est passé là-haut. Qui s'est fait descendre ? C'est Burns ?

L'un des deux agents, Millard, prit une longue inspiration et lâcha :

— Ceci ne doit pas sortir de la pièce, Alex. Tant que nous n'aurons pas donné le feu vert. Compris ?

J'acquiesçai gravement.

— Le patron est mort ?

— C'est Thomas Weir qui a été tué.

J'eus soudain l'impression que mes jambes se dérobaient sous moi et que ma tête tournait. On avait exécuté le directeur de la CIA.

34.

C'était le chaos le plus total.

La nouvelle du meurtre de Thomas Weir avait fait rapidement le tour de toutes les rédactions, et le Hoover Building se retrouvait assiégé par la presse. Nous ne pouvions, bien entendu, révéler ce qui s'était réellement passé selon nous, et les journalistes nous soupçonnaient, à juste titre, de faire de la rétention d'informations.

Un peu plus tard, dans l'après-midi, nous apprenions que le corps d'une jeune femme venait d'être découvert en forêt, dans le nord de la Virginie. Il s'agissait vraisemblablement de l'auteur du coup de feu qui avait tué Tom Weir. Le fusil de marque Winchester trouvé près du cadavre était bien, selon les analyses en cours, l'arme du crime.

À 17 heures, le Loup nous recontacta.

Quand le téléphone du QG de crise sonna, Ron Burns lui-même décrocha.

Je ne l'avais jamais vu aussi grave, aussi décontenancé. Thomas Weir était l'un de ses amis. Chaque été, ils se retrouvaient à Nantucket, en famille.

— Vous avez une chance extraordinaire, monsieur Burns, déclara le Loup. Ces balles vous étaient destinées. Je ne me trompe pas souvent, mais je sais que c'est inévitable dans le cadre d'une opération militaire aussi complexe. Toute guerre comporte sa part d'erreurs, c'est un fait que j'accepte volontiers.

Burns demeura muet, le visage blême, figé, les traits indéchiffrables.

— Je sais ce que vous ressentez tous, poursuivit le Loup. M. Weir était un père de famille, quelqu'un de bien, c'est cela ? Et maintenant, vous m'en voulez, vous n'avez qu'une envie : m'abattre comme un chien enragé. Mais essayez donc de vous mettre à ma place. Vous avez reçu des instructions précises, et pourtant, vous n'en avez fait qu'à votre tête.

» Comme vous pouvez le constater, votre façon d'agir a conduit au drame et à la mort. Elle conduira toujours au drame et à la mort. C'est inévitable. Et il n'y a pas qu'une seule vie en jeu. Il faut qu'on avance. L'heure tourne.

» Vous savez, de nos jours, on a du mal à trouver des gens prêts à vous écouter. Chacun pense surtout à soi. Prenez le capitaine Williams, par exemple, notre exécutrice. Nous lui avons expressément demandé de ne parler à personne de la mission qui lui a été confiée, mais elle a cru bon d'en informer son mari. Résultat, elle est morte. Je crois savoir que vous avez retrouvé son corps. J'ai un scoop pour vous : le mari est mort, lui aussi. Vous voudrez peut-être récupérer son corps, à leur domicile. C'est à Denton, dans le Maryland. Si vous voulez l'adresse, je peux vous la communiquer.

Burns prit enfin la parole :

— Nous avons déjà trouvé le corps du mari. Quel est l'objet de votre appel ? Que voulez-vous de nous ?

— Il me semble que c'est assez clair, monsieur le directeur. Je veux que vous sachiez que je parle tout à fait sérieusement. Je suis sûr que vous ferez le nécessaire pour me donner satisfaction. D'une manière ou d'une autre, j'obtiendrai ce que j'exige. Je l'obtiens toujours.

» Après ce préambule, passons aux détails moins poétiques, les chiffres. Le prix à payer pour que nous disparaissions. J'espère que quelqu'un a un crayon et un bout de papier.

— Allez-y, dit Burns.

— Bien, c'est parti. New York, six cent cinquante millions de dollars. Londres, six cents millions. Des dollars, toujours. Washington, quatre cent cinquante millions. Francfort, quatre cent cinquante millions. Soit un total de deux milliards cent cinquante millions de dollars. En outre, je veux qu'on remette en liberté cinquante-sept prisonniers politiques. Leurs noms vous seront communiqués dans l'heure qui suit. Tous ces détenus, je vous le signale en passant, sont originaires du Moyen-Orient. Je vous laisse deviner pourquoi. Un casse-tête intéressant, vous ne trouvez pas ?

» Vous disposez de quatre jours pour remettre la somme et libérer les prisonniers. C'est largement suffisant, non ? Nous vous dirons comment et où effectuer la remise. Vous avez quatre jours à compter de... maintenant.

»Je vous rappelle que je ne plaisante pas. J'ai bien conscience qu'il s'agit là d'une somme extrêmement importante, et vous allez sans doute me répondre qu'il est impossible de réunir autant d'argent, mais je préférerais que vous m'épargniez les excuses et les lamentations.

Il y eut un bref silence.

— Voilà donc l'objet de cet appel, monsieur Burns. Livrez l'argent, délivrez les prisonniers. Et pas d'entourloupe, cette fois. Ah, encore une petite chose : je ne pardonne pas, je n'oublie pas. Vous allez bel et bien mourir, monsieur Burns, avant que tout cela soit terminé. Je vous conseille donc d'être sur vos gardes. Un de ces jours, je serai là, et *boum* ! Mais pour l'instant, n'oubliez pas, quatre jours !

Et le Loup raccrocha.

Ron Burns, l'œil fixe, maugréa :

— Tu l'as dit, *boum* ! Un de ces jours, c'est moi qui aurai ta peau.

Puis son regard parcourut lentement la salle et s'arrêta sur moi.

— La course contre la montre a commencé, Alex.

35.

Burns poursuivit :

— J'aimerais que le Dr Cross nous donne ses impressions sur ce Russe psychopathe. Il sait tout de lui. Alex Cross vient de la police de Washington – je le signale à l'intention de ceux qui ne le connaîtraient pas encore – et ses anciens collègues doivent le regretter, croyez-moi. C'est lui qui a mis Kyle Craig à l'ombre.

— Et qui a laissé Geoffrey Shafer s'échapper une ou deux fois, lançai-je depuis mon fauteuil. Mes impressions pour l'instant ? Je ne m'étendrai pas sur une évidence : nous avons affaire à quelqu'un qui a besoin d'exercer un contrôle et un pouvoir absolus. Ce que je peux vous dire, c'est qu'il recherche le grand spectacle. C'est un calculateur inventif et obsessionnel. Il a ce que j'appellerais « l'esprit du dirigeant », autrement dit, il sait organiser et déléguer, il est parfaitement apte à prendre des décisions difficiles.

» Mais surtout, il est pervers. Il aime faire souffrir, il aime regarder les gens souffrir. S'il nous laisse beaucoup de temps pour imaginer ce qui risque de se passer, c'est non seulement parce qu'il sait que nous ne voulons, et surtout que nous ne pourrons pas le payer si facilement, mais aussi parce qu'il veut nous épuiser psychologiquement. Il sait que nous aurons toutes les peines du monde à le capturer. Ben Laden court toujours, après tout...

» Ce qui, pour moi, en revanche, ne colle pas, c'est la tentative d'assassinat du patron du FBI. Je ne vois pas quel rôle elle peut jouer dans sa stratégie, alors que nous n'en sommes qu'au début. Et s'il a loupé son coup, cela ne me plaît pas du tout.

Je me rendis aussitôt compte que l'expression était particulièrement mal choisie, mais Burns me fit signe de continuer, en demandant :

— Vous pensez qu'il a loupé son coup ? Ou Tom Weir était-il bien sa cible ?

— Selon moi, c'était bien Weir qui était visé. Je ne pense pas que le Loup ait commis une erreur. Pas une erreur de cette taille, en tout cas. Je crois qu'il nous a menti.

— Dans quel but ? Quelqu'un a une idée ?

Personne ne répondit. Je repris :

— Si la cible était effectivement Thomas Weir, il s'agit là d'un indice précieux. Pourquoi représentait-il une menace aussi sérieuse aux yeux du Loup ? Que pouvait-il savoir ? Je ne serais pas surpris d'apprendre que Weir et lui se sont déjà rencontrés, même si Weir ne le savait pas. Où les chemins de Thomas Weir et du Russe auraient-ils pu se croiser ? Voilà la question qu'il faut poser.

— Et il s'agirait d'y répondre très, très vite, fit Burns. Au travail. Je veux que tout le FBI – et je dis bien tout le FBI – s'attelle à la tâche.

36.

L'homme qui avait passé les derniers appels télé-
phoniques émanant officiellement du Loup allait
suivre à la lettre les instructions qu'on lui avait
données. Pas question de prendre des risques. Il fallait
qu'on le voie à Washington. Tel était le rôle qu'on lui
avait demandé de jouer.

Le Loup devait se montrer, ce qui promettait un
beau remue-ménage.

Les enquêteurs qui le traquaient ne tarderaient pas
à se rendre compte que les appels avaient été passés
depuis l'hôtel Four Seasons, sur Pennsylvania Avenue.
Cela figurait dans le scénario, un scénario qui, jusqu'à
présent, s'était révélé quasiment infaillible.

L'homme descendit donc tranquillement dans le
hall. Il s'assura que le concierge le remarque, que les
deux portiers le remarquent, une tâche d'autant plus
facile qu'il était grand, blond, barbu et portait un manteau de cachemire. Conformément au scénario qu'on
lui avait écrit.

Puis il se balada dans M Street en prenant le
temps de s'arrêter devant les cartes des restaurants et
les vitrines des boutiques de mode de Georgetown.

Il sourit en voyant les voitures de police et celles
du FBI déferler en direction du Four Seasons.

Puis il monta dans la fourgonnette Chevrolet blanche qui l'attendait au coin de Jefferson.

Le véhicule démarra aussitôt et fonça vers l'aéroport. Il y avait un homme à l'arrière.

— Tout s'est bien passé ? demanda le conducteur quelques kilomètres plus loin.

Le barbu haussa les épaules.

— Bien, évidemment. Ils ont une description précise, un os à ronger, un petit bout d'espoir, comme ils voudront. Tout s'est parfaitement déroulé. J'ai fait ce qu'on m'a demandé de faire.

— Excellent, commenta l'homme assis à l'arrière.

Sur quoi, ayant sorti de sa poche un Beretta, il exécuta le grand blond barbu d'une balle dans la tempe droite. Son voisin de banquette n'eut même pas le temps d'entendre la détonation.

La police et le FBI disposaient à présent d'une description du Loup, mais c'était celle d'un mort.

37.

Dans l'après-midi, l'intrigue s'épaissit, ou du moins nos interrogations s'amplifièrent. Selon nos spécialistes en télécommunications, le Loup nous avait appelés depuis l'hôtel Four Seasons, à Washington, et on l'y avait même vu. Son portrait-robot était déjà en train de faire le tour de la planète. Peut-être avait-il fini par commettre une erreur, mais cela me paraissait difficile à croire. Jusqu'à présent, il nous avait toujours appelés depuis un téléphone mobile. Cette fois-ci, il avait téléphoné depuis une chambre d'hôtel. Pour quelle raison ?

En rentrant chez moi, peu avant 21 h 30, j'eus la surprise de trouver le Dr Kayla Coles dans le séjour, avec Nana. Blotties l'une contre l'autre sur le canapé, elles échafaudaient je ne sais quel plan, mais la présence du médecin de ma grand-mère à une heure aussi tardive m'inquiétait un peu.

— Tout va bien ? Que se passe-t-il ?

— Kayla était dans le quartier, me répondit Nana. Elle en a profité pour passer dire bonsoir. C'est bien ça, Dr Coles, hein ? Pas de problème en ce qui me concerne, si ce n'est que tu as loupé le dîner.

— En fait, précisa Kayla, Nana se sentait un peu faible, alors je suis venue par précaution.

Et Nana, bien entendu, ne put s'empêcher de la reprendre.

— N'exagérez pas, Kayla. Je vais très bien. De temps en temps, je me sens un peu faible, mais c'est normal, à mon âge...

Kayla l'approuva en souriant, avant de pousser un grand soupir et de se radosser.

— Je suis désolée. Dites-lui, Nana.

— Je me suis sentie faible pendant plusieurs jours, mais c'était la semaine dernière. Tu sais ce que c'est, Alex. Rien de grave. S'il fallait s'occuper d'Alex Junior, comme avant, je me ferais un peu plus de souci.

— Je m'en fais, moi, du souci, lui dis-je.

Kayla intervint.

— Voilà : comme l'a expliqué Nana, j'étais dans le quartier et je suis passée. C'était purement amical, Alex. J'ai tout de même pris sa tension. Tout a l'air de fonctionner, mais j'aimerais bien qu'elle fasse quelques examens sanguins.

— D'accord, je les ferai, les examens, dit Nana. Si on parlait du temps, maintenant ?

Elles m'étonneraient toujours, ces deux-là...

— Et vous, vous travaillez trop, comme d'habitude ? demandai-je à Kayla.

— Vous êtes mal placé pour me poser ce genre de question ! Hélas, il y a beaucoup trop à faire, ici. Si vous saviez le nombre de gens, dans la capitale d'un pays aussi riche que le nôtre, qui n'ont pas les moyens de voir un bon médecin, ou qui sont obligés de poireauter pendant des heures à St. Anthony ou dans d'autres hôpitaux...

Je la trouvais sympathique, Kayla, mais pour être totalement franc, elle m'intimidait légèrement, ce que je ne m'expliquais pas. Et à force de courir à droite à gauche pour aider son prochain, elle avait perdu du poids. Elle n'avait jamais été aussi belle, et j'étais presque gêné de l'avoir remarqué.

— Qu'est-ce que tu as à nous regarder comme ça ? bougonna Nana. Viens t'asseoir avec nous.

— Il faut que j'y aille, fit Kayla en se levant. Il est tard, même pour moi.

— Je ne voulais pas vous chasser, protestai-je.

Je ne voulais pas qu'elle s'en aille, j'avais envie de parler d'autre chose que du Loup, des attentats et des menaces.

— Vous ne me chassez pas, Alex, je vous assure, mais j'ai encore deux visites à domicile.

Coup d'œil à ma montre.

— Encore deux visites à une heure pareille ? Vous, vous m'épatez ! Vous savez que vous êtes folle ?

— Peut-être, me répondit-elle d'un air un rien désabusé. C'est sans doute vrai. (Elle embrassa affectueusement Nana.) Prenez bien soin de vous. Et n'oubliez pas de faire vos examens.

— Oh, la mémoire, ça va, rétorqua Nana.

Après le départ de Kayla, elle me dit :

— Tu as raison, c'est vraiment quelqu'un d'épatant, au sens propre du terme. Et tu sais quoi ? Je pense que si elle est passée, c'est aussi pour toi. Je suis sûre que c'est ça.

Cette idée m'avait également effleuré.

— Dans ce cas, comment se fait-il qu'elle parte aussi vite chaque fois que je débarque ?

Nana me regarda d'un œil réprobateur.

— Peut-être parce que tu ne lui proposes jamais de rester. Peut-être parce que tu restes planté devant elle, sans rien dire. Pourquoi ? Tu sais, elle pourrait être la femme qu'il te faut. N'essaie pas de prétendre le contraire. En fait, elle te fait peur, ce qui est peut-être une bonne chose.

Je réfléchis à ce qu'elle venait de me dire, sans parvenir à formuler la moindre réplique. La journée avait été longue, et mon cerveau ne tournait plus à plein régime. J'optai donc pour une manœuvre de diversion.

— Alors, ça va ? Tu te sens bien, tu es sûre ?

— Alex, j'ai quatre-vingt-trois ans. Plus ou moins. Il faut relativiser.

Elle m'embrassa sur la joue et partit se coucher en lançant, sans se retourner :

— D'ailleurs, je te ferai remarquer que tu ne rajeunis pas, toi non plus.

Bien vu, Nana, pensai-je.

38.

Dans d'autres quartiers de Washington, la nuit ne faisait que commencer, et certaines personnes n'avaient pas l'intention de se coucher.

Le Furet avait toujours eu beaucoup de mal à canaliser ses instincts et ses besoins physiques les plus primaires. Cela l'inquiétait, parfois. Il savait que c'était son talon d'Achille, mais l'excitation l'emportait sur la raison. En prenant de tels risques, il s'offrait de belles giclées d'adrénaline et se sentait extraordinairement vivant. Lorsqu'il partait en chasse, une sensation de bien-être et de puissance le submergeait et il s'abandonnait totalement au plaisir de l'instant.

Pour avoir été longtemps en poste à l'ambassade de Grande-Bretagne, Shafer connaissait Washington comme sa poche, et les quartiers déshérités de la capitale, qu'il avait si souvent écumés, n'avaient plus de secrets pour lui.

Cette nuit, le Furet était en chasse. Il avait l'impression de revivre, il avait une raison d'être.

Il descendait South Capitol au volant d'une Mercury Cougar noire. Une petite pluie fine tombait sur la ville et seules quelques filles faisaient le tapin, mais il ne tarda pas à en repérer une.

Il fit plusieurs fois le tour du bloc, lentement, en la regardant bien, façon micheton.

Il ralentit. La petite black exposait ses charmes à quelques mètres du Nation, une boîte réputée pour son ambiance torride. Juchée sur des chaussures à talons compensés, elle portait un bustier et un short argentés.

Le plus drôle, c'était que Geoffrey était en service commandé. Le Loup lui avait donné l'ordre d'aller chasser ce soir, dans les rues de Washington.

Il se pencha au-dessus du siège passager pour aborder la fille, qui bomba aussitôt impudiquement la poitrine, comme persuadée que ses fiers petits mamelons la plaçaient en position de force. Cette rencontre promet d'être intéressante, songea Shafer. Il avait mis une perruque, s'était noirci le visage et les mains, et le refrain *I like it like that* passait en boucle dans sa tête.

— Ils sont d'origine ? demanda-t-il lorsque la fille se pencha sur lui.

— La dernière fois que j'ai regardé, oui. T'as peut-être envie de vérifier toi-même, chéri ? Les palper un peu, ça te dirait ? Je peux arranger ça, tu sais. Une visite privée, rien que pour toi.

Shafer fit un beau sourire à la fille, histoire de jouer le jeu. Si elle avait remarqué qu'il s'était grimé, elle n'en laissait rien paraître. Rien ne la dérange, celle-là ? On va voir si c'est vraiment le cas, pensa-t-il.

— Monte, lui dit-il. J'ai très envie de t'examiner de la tête aux pieds. Ou plutôt, des seins aux pieds.

— C'est cent dollars, miaula-t-elle en s'écartant brusquement de la voiture. Ça te va ? Parce que sinon...

Shafer souriait toujours.

— Si tu me les garantis sans silicone, cent dollars, ça me convient. Pas de problème.

La fille ouvrit la portière et sauta dans la voiture. Elle empestait le mauvais parfum.

— T'as qu'à vérifier, chéri. Ils sont un peu petits, mais tout mignons. Et ils sont à toi, rien qu'à toi.

Shafer riait, maintenant.

— Tu sais que tu me plais beaucoup, toi ? Mais souviens-toi de ce que tu viens de me dire. Chose promise, chose due.

Ils sont à moi, rien qu'à moi.

39.

Il était minuit, j'étais de nouveau au boulot, et j'avais l'impression d'avoir réintégré la brigade criminelle. Ce quartier de Southeast m'était familier : des rangées de baraques en bois, presque toutes blanches, souvent à l'abandon, le long de New Jersey Avenue. Un attroupement s'était déjà formé autour de la scène de crime. Parmi les curieux, il y avait des petits loubards et des gamins à vélo qui auraient dû être couchés depuis longtemps.

Derrière le périmètre, un rasta aux dreadlocks comprimées dans un énorme bonnet aux couleurs éthiopiennes psalmodiait d'une voix sifflante : « Hé, vous l'entendez, cette musique ? Elle vous plaît, cette musique ? C'est la musique de mon peuple. »

Sampson me retrouva devant l'une des maisons délabrées.

— Comme dans le bon vieux temps, marmonna Sampson. Enfin, bon, c'est beaucoup dire. Pourquoi es-tu là, tueur de dragons ? Par nostalgie ? Tu veux revenir dans la police ?

— Ouais, ça m'a manqué, tout ça. Retrouver des macchabées en pleine nuit dans des coins pourris...

— Je te comprends.

Des planches condamnaient les fenêtres de la baraque, mais il ne nous serait pas difficile d'entrer : il n'y avait plus de porte.

Sampson lança au patrouilleur qui filtrait l'accès :

— Je te présente Alex Cross. Tu as entendu parler de lui ? Alex Cross, en chair et en os, mon frère.

— Dr Cross.

Le flic s'effaça.

— Il a disparu, ajouta Sampson, mais on ne l'a pas oublié.

Une fois à l'intérieur, je découvris un cadre aussi familier que sordide : des couloirs jonchés de détritus, puant la pisse et la bouffe avariée. C'était à la limite du supportable, mais c'était peut-être parce qu'il y avait plus d'un an que je n'avais pas mis les pieds dans l'un des ces trous à rats abandonnés.

On nous informa que le corps se trouvait au deuxième et dernier étage.

— Le coin parfait pour se débarrasser d'un cadavre, fit Sampson.

— Oui, je sais. Je me suis farci ce genre de visites suffisamment longtemps.

— Au moins, on n'est pas obligés de fouiller le sous-sol, grommela Sampson. Au fait, rappelle-moi pourquoi tu es ici. Je n'ai pas bien saisi.

— Tu me manquais. Plus personne ne m'appelle « ma poule ».

— Ah, ah ! On n'aime pas les surnoms, chez les Fédéraux ? Alors, qu'est-ce que tu fous ici, ma poule ?

Le deuxième étage grouillait de flics en tenue, et j'avais comme une impression de déjà-vu. J'enfilai mes gants en plastique ; Sampson fit de même. Je regrettais vraiment de ne plus travailler avec lui. Nous avions tant de souvenirs en commun, bons et mauvais...

Nous nous arrêtâmes devant la deuxième porte droite juste au moment où un jeune patrouilleur noir sortait de la pièce. La main sur la bouche, un mouchoir blanc enroulé autour du poignet, il semblait sur le point de vomir. Rien de nouveau, là non plus.

— J'espère qu'il n'a pas gerbé sur notre scène de crime, ricana Sampson. Putain de bleus...

En entrant, je ne pus m'empêcher de murmurer : « Oh, merde... »

On voit régulièrement ce genre d'horreurs à la criminelle, mais on ne s'y fait jamais. Impossible d'oublier les détails, les sensations, les odeurs, le goût qui imprègne la bouche.

— Il nous a appelés, dis-je à Sampson. C'est pour ça que je suis ici.

— C'est qui, ce « il » ?

— Je n'en sais pas plus que toi.

Le corps gisait sur le plancher. Une jeune fille, qui n'avait sans doute pas vingt ans. Petite, assez jolie. Elle était dénudée, mais une de ses chaussures à semelle compensée était encore accrochée à son orteil droit. Elle portait un bracelet doré à la cheville droite. On lui avait lié les mains dans le dos avec une sorte de fil plastique, et enfoncé un sac en plastique noir dans la bouche.

J'avais déjà vu ce style de meurtre, avec les mêmes détails. Sampson aussi.

— Une prostituée, soupira John. Les collègues l'ont déjà vue racoler sur South Capitol. Dix-huit, dix-neuf ans, voire moins. C'est qui, le type ?

La fille n'avait plus de seins : on les lui avait littéralement tranchés. On s'en était également pris à son visage. Je me mis à énumérer des comportements pervers auxquels je n'avais pas eu l'occasion de penser depuis un certain temps. Agressivité et passage à l'acte, sadisme sexuel, scénario transgressif, tout y était.

— C'est Shafer, John. C'est le Furet. Il est revenu à Washington. Et malheureusement, ce n'est pas là le pire...

40.

Nous connaissions un petit bar, dans le coin, ouvert toute la nuit. Heureusement, car après une telle plongée dans l'horreur, nous avions bien besoin d'une bière. Officiellement, nous n'étions plus en service, mais j'avais gardé mon bipeur à la ceinture, tout comme John. Il n'y avait que deux autres clients, nous ne risquions pas d'être dérangés.

De toute manière, j'étais content d'être avec John. J'avais terriblement besoin de lui parler.

— Es-tu sûr qu'il s'agisse de Shafer ? me demanda-t-il dès qu'on nous eut apporté nos bières et nos noix de cajou.

Je lui parlai des images inquiétantes tournées à Sunrise Valley, sans mentionner les autres menaces et la demande de rançon. Je ne pouvais pas le faire, ce qui me mettait très mal à l'aise. J'avais l'impression de mentir, et jamais je n'avais menti à Sampson.

— C'est lui. Il n'y a aucun doute.

— Bizarre. Pourquoi le Furet reviendrait-il à Washington, où il a bien failli se faire coincer ?

— C'est peut-être justement pour ça. Il se lance un défi, il est en manque d'adrénaline.

— Ben voyons. Et peut-être qu'on lui manque,

nous aussi. En tout cas, moi, ce coup-ci, je ne le manquerai pas. Une balle entre les deux yeux.

— Dis-moi, lui demandai-je entre deux gorgées de bière, tu ne devrais pas être chez toi, avec Billie, à cette heure-ci ?

— C'est une nuit de boulot. Billie est cool vis-à-vis de mon job. Et de toute façon, sa sœur vit chez nous en ce moment. Elles doivent être en train de dormir.

— Et comment ça se passe ? La vie de couple ? La sœur de Billie qui squatte ta baraque ?

— J'aime bien Trina, alors tout va bien. Curieusement, les situations auxquelles je ne pensais pas pouvoir m'adapter ne me posent aucun problème. Je suis heureux. Pour la première fois, peut-être. Je suis sur un petit nuage.

— C'est beau, l'amour, hein ?

— Oui. Tu devrais essayer, un jour.

— Je suis prêt.

— Tu crois ? Je me demande si tu l'es vraiment.

— Écoute, John, il faut que je te parle de quelque chose.

— Je sais. Il y a eu ces attentats. Puis l'assassinat de Thomas Weir. Et le retour de Shafer. (Il me dévisagea.) Vas-y, je t'écoute.

— C'est confidentiel, John. Washington a reçu des menaces que nous prenons très au sérieux. C'est du chantage. Des attaques de grande envergure se préparent, sauf si nous acceptons de verser une rançon phénoménale.

— Ce qui tiendrait du miracle, fit Sampson. Les États-Unis ne négocient pas avec les terroristes.

— Je n'en sais rien. Personne n'en sait rien, sauf, peut-être, le président. Je fais partie du FBI, mais je ne suis pas au sommet de la hiérarchie. Enfin, quoi qu'il en soit, tu en sais à présent autant que moi.

— Et je dois agir en conséquence ?

— Oui, mais tu ne dois en parler à personne, pas même à Billie.

Sampson me serra la main.

— J'ai compris. Je te remercie.

41.

Je finis par rentrer au bercail. Après avoir tout révélé à Sampson, je me sentais mal à l'aise, je culpabilisais, mais aurais-je pu faire autrement ? Pour moi, John faisait partie de la famille, voilà tout. Peut-être était-ce la fatigue qui se faisait sentir, avec ces journées de dix-huit, voire vingt heures. La fatigue, et le stress. En coulisse, les experts étudiaient tous les scénarios-catastrophes envisageables, mais personne ne pouvait me dire si le gouvernement avait décidé de donner suite ou non aux demandes de rançon. Nous étions tous à cran. Douze heures s'était déjà écoulées depuis le début du compte à rebours.

D'autres interrogations me taraudaient. Le sadique qui avait assassiné et mutilé la prostituée de New Jersey Avenue était-il vraiment Shafer ? J'en avais la quasi-certitude, et Sampson partageait ma conviction, mais pourquoi commettre un meurtre aussi atroce, en prenant de tels risques, aujourd'hui ? Et le corps de la jeune femme avait été abandonné à moins de trois kilomètres de chez moi. Coïncidence ? J'avais des raisons d'en douter.

Il était tard – enfin, il allait bientôt faire jour – et je n'arrivais plus à me sortir ce cauchemar de la tête. Je pris le volant de ma vieille Porsche et conduisis plus vite que je ne l'aurais dû dans les rues quasiment désertes. Je savais qu'il fallait que je me concentre sur ce que je faisais, mais c'était peine perdue.

Une fois arrivé, j'attendis plusieurs minutes avant de sortir de la voiture. Il fallait que je me vide la tête. Établir la liste des choses à faire. Appeler Jamilla. Il n'était que 23 heures sur la côte Ouest. J'avais l'impression que mon crâne allait exploser. La dernière fois que j'avais éprouvé ce genre de sensation, je m'en souvenais très bien : nous étions en train de suivre la piste sanglante du Furet, à Washington. Cette fois-ci, c'était bien pire.

Je finis par me traîner à l'intérieur de la maison. En voyant le vieux piano sur la véranda, j'eus envie de jouer un petit morceau. Un peu de blues ? Un air de Broadway ? À 2 heures du matin ? Pourquoi pas. De toute manière, je n'aurais pas réussi à trouver le sommeil.

Le téléphone sonna. Je courus décrocher. Quoi encore ?

L'appareil le plus proche était celui de la cuisine, près du frigo.

— Oui. Cross.

Rien.

J'entendis qu'on raccrochait.

Quelques secondes plus tard, nouvel appel.

Je décrochai après la première sonnerie.

Clac.

Et cela recommença.

Je décrochai le combiné et le glissai dans le protège-main de Nana, sur le plan de travail, pour étouffer le son.

J'entendis un bruit derrière moi.

J'eus tout juste le temps de me retourner.

Nana, 1,40 m et 45 kg, me regardait d'un œil féroce.

— Qu'est-ce qui ne va pas, Alex ? Encore debout, à une heure pareille ? Ce n'est pas normal. Qui est-ce qui téléphone ici en pleine nuit ?

Je m'assis à la table de la cuisine et, devant une tasse de thé, racontai à Nana tout ce que je pouvais.

42.

Le lendemain, on me demanda de faire équipe avec Monnie Donnelley. Une bonne nouvelle pour elle comme pour moi. Nous étions chargés de réunir des renseignements sur le colonel Shafer et les mercenaires ayant participé aux attentats, et cela, bien entendu, en un temps record.

Monnie, comme à son habitude, en savait long sur le sujet, et elle parlait tout en récupérant des infos. Une fois que Monnie est lancée, on l'arrête difficilement. Pour elle, la vérité passe par les faits, les chiffres.

— Les mercenaires, qui aiment qu'on les appelle « chiens de guerre », sont souvent des anciens des Forces spéciales – la Delta Force, les Rangers, les SEALs, ou les SAS si ce sont des Anglais. La plupart d'entre eux exercent leur métier tout à fait officiellement, mais ils opèrent dans une sorte de no man's land juridique. Ce que je veux dire, c'est qu'ils ne sont pas soumis aux règles de l'armée américaine, ni même à nos lois. Théoriquement, ils dépendent des lois du pays pour lequel ils travaillent, mais souvent, il s'agit de points chauds où le respect des lois, quand elles existent, n'est qu'un concept très exotique.

— Autrement dit, ils sont essentiellement livrés à eux-mêmes. Voilà qui doit plaire à Shafer. La plupart des mercenaires travaillent pour le compte de sociétés privées, aujourd'hui, n'est-ce pas ?

— Effectivement, acquiesça Monnie. Des CMP, ou Compagnies militaires privées. Ils peuvent gagner jusqu'à vingt mille dollars par mois, mais la moyenne des salaires se situe probablement autour de trois mille ou quatre mille dollars. Certaines CMP ont leur artillerie personnelle, leurs chars et même, crois-moi si tu veux, leurs avions de chasse.

— Je te crois. Aujourd'hui, je suis disposé à tout croire. La preuve, je crois même au grand méchant Loup...

Monnie détacha les yeux de son écran. Je sentis que l'une de ses fameuses « stats » était en cours de téléchargement.

— Alex, à cette date, le ministère de la Défense a plus de trois mille contrats avec des CMP basées aux États-Unis. Pour un montant évalué à plus de trois cents milliards de dollars. Tu le crois, ça ?

J'émis un sifflement.

— Voilà qui relativise les demandes de rançon du Loup.

— Il faut payer ce type, déclara Monnie. Et on le capturera après.

— Ce n'est pas moi qui décide, mais je ne suis pas entièrement opposé à cette idée.

Monnie consulta son écran.

— Il y a quelque chose sur le Furet. Il a travaillé pour une boîte intitulée Mainforce International. Et qui a des bureaux, tiens-toi bien, à Londres, Washington et Francfort.

— Trois des villes menacées. Qu'as-tu d'autre sur Mainforce ?

— Voyons, voyons... Parmi ses clients, des organismes financiers, des compagnies pétrolières, bien entendu. Des sociétés spécialisées dans l'extraction de pierres précieuses.

— Des diamants ?

— Qui sont les meilleurs amis du mercenaire, comme chacun sait. Sous le pseudo de Timothy Heath, Shafer a travaillé en Guinée pour « libérer » des mines occupées par « la populace ». Il a été arrêté, accusé d'avoir tenté de soudoyer des fonctionnaires locaux. Au moment de son interpellation, il avait un million de livres sur lui, en liquide.

— Et comment s'est-il sorti de là, cette fois-ci ?

— Il a dit s'être évadé. Mouais. Aucun détail. Il n'y a pas eu de suites, d'ailleurs. Curieux.

— C'est la grande spécialité du Furet : se faufiler à travers les mailles du filet, échapper aux sanctions. Peut-être est-ce pour cela que le Loup a voulu l'engager.

Monnie me regarda droit dans les yeux.

— Non, le Loup a engagé Geoffrey Shafer parce que tu es sa bête noire. Et parce que tu es un proche du directeur du FBI.

43.

Le jour même, à 14 heures, je prenais l'avion pour Cuba, à la demande de mon boss et du président des États-Unis. On m'avait demandé de me rendre sur la base de Guantánamo, ou Gitmo, comme on la surnomme. Gitmo devait sa récente notoriété aux quelque sept cents prisonniers qui y « résidaient » depuis le début des opérations antiterroristes lancées au lendemain des attaques du 11 Septembre. L'endroit était pour le moins intéressant. On pouvait parler d'un lieu historique, pour le meilleur ou pour le pire.

Dès mon arrivée, on m'escorta au camp Delta, où se trouvaient la plupart des cellules, cernées de miradors et de barbelés acérés. Pendant le trajet, j'appris qu'une société américaine facturait plus de cent millions de dollars par an ses services à Guantánamo.

Originaire d'Arabie Saoudite, l'homme que je devais interroger était détenu dans le petit quartier psychiatrique de la prison, qui se trouvait dans un bâtiment indépendant. On ne m'avait pas dit grand-chose à son sujet, si ce n'était qu'il détenait des renseignements importants concernant le Loup.

L'interrogatoire eut lieu dans une cellule d'isolement

aux murs matelassés, sans fenêtres. On nous avait apporté deux petites chaises.

— J'ai dit aux autres tout ce que je savais, commença le détenu dans un très bon anglais. Je pensais que nous avions passé un accord pour que je sois libéré. C'est ce que l'on m'a promis il y a deux jours. Tout le monde ment, ici. Alors, qui êtes-vous ?

— Je viens de Washington. On m'a envoyé ici écouter ce que vous avez à dire. Dites-moi tout encore une fois. Cela ne pourra que vous aider. Nous n'avez rien à perdre.

Il acquiesça d'un air las.

— C'est vrai, je n'ai plus rien à perdre. Vous savez, ça fait deux cent vingt-sept jours que je suis ici. Je n'ai rien fait de mal, absolument rien. J'étais prof dans un collège de Newark, New Jersey. On ne m'a jamais inculpé de quoi que ce soit. Que pensez-vous de tout cela ?

— Je pense qu'aujourd'hui, vous avez une chance de sortir d'ici. Il suffit que vous me disiez ce que vous savez sur le Russe qui se fait appeler le Loup.

— Et pourquoi faudrait-il que je vous parle ? Je crois que je n'ai pas tout saisi. Qui êtes-vous, rappelez-moi ?

Je haussai les épaules. On m'avait demandé de ne pas révéler mon identité au prisonnier.

— Vous avez tout à gagner, et rien à perdre. Vous voulez sortir d'ici, et moi, je peux vous aider à atteindre votre but.

— Le ferez-vous vraiment, monsieur ?

— Je vous aiderai si je le peux.

Et l'homme me parla. Pendant plus d'une heure et demie. Il avait eu une vie intéressante. Attaché à la sécurité de la famille royale saoudienne, il avait eu l'occasion de l'accompagner aux États-Unis. Le pays lui avait plu, il avait décidé d'y rester, mais avait conservé des amis parmi ses anciens collègues.

— On m'a parlé d'un Russe ayant eu des discussions avec des membres dissidents de la famille royale, et il y en a beaucoup. Ce Russe cherchait des capitaux pour financer une grande opération qui devait porter un coup sérieux aux États-Unis ainsi qu'à certains pays européens. Un scénario d'apocalypse dont on ne m'a pas donné les détails.

— Ce Russe, il a un nom ? D'où venait-il ? De quelle région, de quelle ville ?

— Le plus intéressant est là, justement. Ce Russe, j'ai l'impression que c'était une femme, pas un homme. Je suis sûr de mes informations. Son nom de code, ou comme vous voudrez, était bien le Loup.

Son récit achevé, le prisonnier me redemanda :

— Et maintenant, vous allez m'aider ?

— Non, maintenant, vous allez tout me répéter. Depuis le début.

— Je vais vous dire exactement la même chose, me répondit-il. Parce que c'est la vérité.

En fin de soirée, je repartis pour Washington. Malgré l'heure tardive, il fallait que j'aille au rapport. Burns et Tony Woods m'attendaient. Le Saoudien était-il crédible ? Avais-je appris quelque chose d'intéressant sur le Loup ? Était-il en train de s'associer avec des organisations terroristes du Moyen-Orient ?

— Je crois qu'il faut le libérer, dis-je à Burns.

— Donc, vous le croyez ?

Je fis non de la tête.

— Je crois qu'on lui a transmis des renseignements, mais je ne sais pas s'ils sont exacts. Lui non plus, d'ailleurs. Je crois qu'il faut ou l'inculper, ou le libérer.

— Alex, le Loup s'est-il rendu en Arabie Saoudite ? Est-il possible qu'il s'agisse d'une femme ?

— Je pense que ce prof nous a dit ce qu'on lui a dit, répétai-je. Laissez-le rentrer à Newark.

— J'avais déjà enregistré le message, merci, rétorqua sèchement Burns.

Puis il poussa un long soupir.

— J'ai vu le président et ses conseillers, aujourd'hui. Ils voient mal comment nous pourrions négocier avec ces salopards. Nous avons donc deux jours pour mettre la main sur le Loup.

44.

La catastrophe était annoncée, et je ne pouvais rien faire. Je vivais un véritable supplice.

Debout à 5 heures, je pris le petit-déjeuner avec Nana. Un café et une tranche de pain grillé à la cannelle, sans beurre.

— Il faut qu'on parle de toi et des enfants ? lui dis-je. Tu es suffisamment réveillée ?

— Je suis en pleine possession de mes moyens, Alex ? Et toi. Tu te sens prêt à m'affronter ?

J'opinai en me mordant la langue. Nana avait quelque chose à me dire, et j'étais censé l'écouter. Les années m'ont appris que, quel que soit son âge, on demeure un enfant aux yeux de nos parents et grands-parents. C'était d'autant plus vrai avec Nana Mama.

— Vas-y, je t'écoute.

— J'espère bien, me dit-elle. Je vais te dire pourquoi je refuse de quitter Washington. Tu me suis ? Parfait.

» Tout d'abord, cela fait quatre-vingt-trois ans que j'habite ici. C'est ici qu'est née Regina Hope, et c'est ici que j'ai l'intention de mourir. On peut trouver ça ridicule, mais c'est comme ça. J'aime cette ville, j'aime ce quartier, et j'aime surtout cette vieille baraque où j'ai vécu tant de choses. Si tout ça doit disparaître, je disparaîtrai avec. C'est triste, c'est très triste, mais la vie de Washington, c'est aussi ma vie. Eh oui, Alex, le monde a changé...

Je ne pus que sourire.

— Tu sais, quand je t'écoute, j'ai l'impression d'entendre ma vieille maîtresse d'école. Tu t'en rends compte ?

— Possible, et alors ? C'est un sujet grave. Je n'ai presque pas fermé l'œil de la nuit. Je suis restée là, des heures, dans le noir, à réfléchir à ce que j'allais te dire. Et toi, qu'as-tu à dire ? Tu veux qu'on fasse nos valises, hein ?

— Nana, s'il arrive quelque chose aux petits, je ne me le pardonnerai jamais.

— Moi non plus, tu t'en doutes.

Son regard ne vacillait pas. Quelle force...

Elle me dévisageait et moi, naïvement, j'espérais qu'elle hésitait.

— C'est ici que je vis, Alex. Il faut que je reste. Si tu juges que c'est préférable, les enfants peuvent aller habiter un temps chez tante Tia. Bon... ne me dis pas que tu vas ne manger que ça ? Une petite tranche de pain de rien du tout ? Attends, je vais te faire un vrai petit-déjeuner, moi. Je suis sûre que tu as une longue et dure journée devant toi.

45.

Le Loup se trouvait au Moyen-Orient, ce qui prouvait bien que certaines des rumeurs le concernant étaient fondées.

La rencontre, que le Loup avait appelée « petite soirée de charité », se tenait dans un campement, en plein désert, à une centaine de kilomètres au sud-est de Riyad. Elle réunissait des Arabes, des Asiatiques, et bien entendu le Loup, « voyageur du monde, citoyen de nulle part ».

Mais cette personne était-elle réellement le Loup, ou ne faisait-elle que le représenter ? Nul ne le savait exactement. Ne disait-on pas que le Loup était une femme ?

Or cet homme – et il s'agissait bien d'un homme – était grand, avec de longs cheveux châtains et une belle barbe. Les autres participants se firent la réflexion qu'il lui était difficile de se déguiser, et que, le cas échéant, il devait être facile à retrouver. Dans le cas présent, sa réputation de personnage mystérieux, aussi génial que calculateur, s'en trouvait encore grandie.

Et son attitude durant la demi-heure précédant la réunion ne fit que renforcer l'image que chacun avait de lui. Tandis que les uns buvaient leur whisky, les autres leur thé à la menthe, en bavardant, le Loup se tenait à l'écart, muet, éloignant d'un geste tous ceux qui cherchaient à l'approcher. Il donnait l'impression d'être bien au-dessus de tout cela.

Comme il faisait bon, il fut décidé que la réunion se tiendrait en plein air. Les participants quittèrent la tente et furent placés en fonction de leur pays d'origine.

Le Loup ouvrit la séance, au milieu de ses invités, auxquels il s'adressa en anglais. Il savait que la plupart d'entre eux parlaient couramment sa langue, et que tous la comprenaient suffisamment.

— Je suis venu vous annoncer que, pour l'instant, tout se passe très bien, conformément à notre plan, à quelques détails près. Nous avons donc toutes les raisons de nous réjouir.

— Hormis votre parole, quelle preuve nous apportez-vous ?

L'homme qui avait posé la question était un moudjahidin, un combattant islamique.

Un sourire ingénu se dessina sur le visage du Loup.

— Comme vous venez de le dire, vous avez ma parole. Et même si ce n'est peut-être pas le cas dans ce pays, sur presque toute la planète, la télévision, la radio et la presse écrite se sont fait l'écho des problèmes que nous avons créés aux Américains, aux Anglais, aux Allemands. D'ailleurs, je vous signale que nous captons CNN ici, sous la tente, si vous souhaitez entendre quelqu'un valider mes propos.

Le regard sombre du Loup s'éloigna aussitôt du moudjahidin embarrassé, au visage pourpre de colère.

— Notre plan fonctionne, mais il est temps de procéder à un nouvel appel de fonds pour que tous les rouages importants puissent continuer à tourner. Je vais donc faire un tour de table et vous me direz, d'un signe, si vous approuvez ma proposition. Il faut dépenser de l'argent pour gagner de l'argent. Sans doute est-ce là un concept purement occidental, mais il a fait ses preuves.

Au passage du Loup, chacun opina ou leva la main, à l'exception de l'irréductible combattant islamiste qui, les bras résolument croisés, se contenta de clamer :

— J'exige d'en savoir plus. Votre parole ne me suffit pas.

— C'est entendu, lui répondit le Loup. J'ai compris votre message, et en voici un pour toi, moudjahidin.

En une fraction de seconde, il leva le bras et un coup de feu claqua. Abattu à bout portant, le Saoudien barbu s'affala à terre. Ses yeux sans vie fixaient désormais le ciel.

— Quelqu'un d'autre veut-il en savoir davantage ? Ou ma parole vous suffit-elle ? Sommes-nous prêts à aborder la prochaine phase de notre grand combat contre l'Occident ?

Personne ne dit mot.

— Bien. Dans ce cas, passons à l'étape suivante. C'est passionnant, non ? Croyez-moi, nous sommes en train de gagner. Allah Akbar.

Dieu est grand. *Et moi aussi.*

46.

Il était 6 h 15 et je roulais tranquillement dans Independence Avenue, mon gobelet de café à la main, en écoutant chanter Jill Scott. Très vite, hélas, mon mobile sonna la fin de ce petit instant de répit.

C'était Kurt Crawford. Il parlait si vite que je ne pus placer un mot.

— Alex, on vient de repérer Geoffrey Shafer sur une vidéo, à New York. Il est passé dans un appart' qu'on avait mis sous surveillance avant les événements. On pense avoir mis au jour une cellule qui pourrait se préparer à frapper Manhattan.

» Ces types appartiennent à Al-Qaida, Alex. Que doit-on en déduire ? On veut te voir à New York ce matin. On t'a réservé une place, rapplique à Andrews en quatrième vitesse.

En saisissant ma « bulle », le gyrophare, pour la plaquer sur le toit de la voiture, j'eus un peu l'impression de reprendre du service dans la police de Washington.

Je pris la direction de la base aérienne d'Andrews et, moins d'une demi-heure après, j'étais à bord d'un hélicoptère Bell noir filant vers l'héliport de l'East River, à Manhattan. Tandis que nous survolions les tours de la ville, j'essayais d'imaginer un mouvement de panique générale à New York. Nous n'avions qu'un seul et énorme problème : il était matériellement impossible de faire évacuer tous les habitants des villes menacées, beaucoup trop vastes. Et le Loup avait prévenu qu'en cas de tentative d'évacuation les frappes seraient immédiates. Pour l'instant, rien n'avait filtré dans la presse, mais depuis les attaques perpétrées dans le Nevada, en Grande-Bretagne et en Allemagne, le monde entier était en alerte.

Dès mon arrivée, sans perdre une seconde, on me conduisit aux bureaux du FBI, situés dans le sud de Manhattan. Plusieurs réunions d'urgence avaient eu lieu depuis qu'en tout début de matinée quelqu'un avait reconnu Shafer sur les bandes de surveillance. Que faisait-il à New York ? Que mijotait-il avec Al-Qaida ? Voilà qui confortait la thèse de la présence du Loup au Moyen-Orient. Que se passait-il ?

Sur place, à Federal Plaza, on m'expliqua brièvement qu'une cellule terroriste avait été localisée dans un petit immeuble de brique, près du Holland Tunnel. On ignorait si Shafer se trouvait toujours à l'intérieur. Il était entré à 21 heures, la veille, et personne ne l'avait vu ressortir.

— Les autres sont manifestement des membres du Djihad islamique, me dit Angela Bell, l'analyste de la brigade antiterroriste new-yorkaise.

Sous couverture d'une fondation intitulée Aide aux Enfants Afghans, ils partageaient ce bâtiment de deux étages, plutôt décrépi, avec une société d'import-export coréenne et une société de traduction espagnole.

Les rapports de surveillance que nous possédions contenaient plusieurs éléments laissant penser qu'une opération terroriste était en préparation dans la région. On avait retrouvé la trace de produits chimiques sensibles et de mélangeurs dans un garde-meubles de

Long Island. Le local avait été loué par l'un des occupants de l'immeuble situé près du Holland Tunnel. Par ailleurs, un pick-up appartenant à un autre membre de la cellule avait été récemment équipé de suspensions renforcées. Pour transporter quel type de bombe ?

Les équipes étaient en train de préparer une descente dans les entrepôts de Long Island, ainsi que dans l'immeuble près du tunnel.

Vers 16 heures, on m'emmena à TriBeCa pour que je me joigne aux forces d'intervention.

47.

On nous avait mis en garde, mais comment nous plier aux menaces et ne pas intervenir, quand tant de vies étaient en danger ? Et peut-être pourrions-nous faire valoir que ce raid ne concernait qu'Al-Qaida, et nous le Loup...

L'appartement qui abritait nos terroristes, et peut-être Geoffrey Shafer, était assez facile à surveiller. L'immeuble ne possédait qu'une entrée, et les sorties de secours, à l'arrière du bâtiment, donnait sur une ruelle très étroite dans laquelle nous avions déjà installé des caméras télécommandées en circuit fermé. L'immeuble jouxtait d'un côté une imprimerie scolaire, et de l'autre un petit parking.

Le Furet s'y trouvait-il toujours ?

Un groupe d'assaut du HRT et les hommes du SWAT, l'unité d'intervention spéciale de la police new-yorkaise, s'étaient installés au dernier étage d'un grossiste en viande de TriBeCa, à deux blocs du tunnel. Nous mîmes les derniers détails au point, en attendant le feu vert.

Le HRT voulait passer à l'action entre 2 et 3 heures du matin. Quelle décision aurais-je prise, moi ? Je l'ignorais. Nous avions dans le viseur une cellule terroriste et peut-être Shafer lui-même, mais les conséquences d'une intervention pouvaient être lourdes, à en croire les menaces proférées. Il pouvait également s'agir d'un piège, d'une sorte de mise à l'épreuve.

Peu avant minuit, le bruit courut que les hommes du HRT avaient du nouveau. Et une heure plus tard, on me convoquait dans le petit bureau de comptabilité qui faisait office de QG de campagne.

L'agent senior qui dirigeait les opérations était Michael Ainslie, de notre antenne new-yorkaise. Un grand type très mince, assez bel homme, qui avait une grande expérience du terrain, mais que j'imaginais, malgré moi, plus à l'aise sur un court de tennis que dans une situation aussi confuse et dangereuse que celle-ci.

— Il y a de nouveaux éléments, annonça-t-il à tout le monde. L'un des tireurs d'élite du HRT a pris quelques images, et nous en avons également récupéré quelques-unes. Je crois que c'est plutôt encourageant. Regardez.

Les images avaient été déchargées sur un ordinateur portable, et nous vîmes une succession de plans larges ou serrés des six fenêtres du flanc est de l'immeuble.

— Contrairement à ce que nous pouvions craindre, les fenêtres n'ont pas été protégées. Ce n'est pas très malin de leur part. Nous avons donc réussi à identifier cinq hommes et deux femmes. Malheureusement, le colonel Shafer n'apparaît sur aucune image.

» Nous ne l'avons pas vu ressortir, mais nous savons qu'il est entré dans l'immeuble. Nous avons des caméras thermiques qui nous permettent de détecter tous les mouvements.

La police de Washington n'avait jamais eu les moyens de nous offrir un équipement aussi sophistiqué, mais depuis je faisais partie du FBI, j'avais eu l'occasion d'en apprécier l'efficacité. Sensibles à la chaleur et à ses variations, ces caméras permettaient de voir littéralement à travers les murs.

Ainslie interrompit le défilement des images pour agrandir un plan de deux hommes assis autour d'une petite table, dans la cuisine.

— Et c'est là que ça devient intéressant. À gauche, Karim al-Lilyas. Membre d'Al-Qaida, quatorzième sur la liste des personnes recherchées par la Sécurité intérieure. Soupçonné d'avoir participé aux attentats contre nos ambassades de Dar es Salaam et Nairobi en 1998. Nous ne savons pas quand il est arrivé, nous ne savons pas pourquoi il est là.

» L'homme à côté de lui s'appelle Ahmed El-Masry, et lui, il est en huitième place sur la liste. Un gros poisson. Il est ingénieur. Aucun de ces deux salopards n'avait été repéré avant, ce qui signifie qu'ils sont arrivés récemment, en toute discrétion. Pour quelle raison ? En temps normal, nous serions déjà dans cette cuisine avec eux, en train de faire du thé à la menthe pour tout le monde, histoire d'avoir une longue et sympathique conversation.

» Ces images ont déjà été transmises au QG et à Washington. Nous devrions avoir des nouvelles dans les minutes qui viennent.

Puis Ainslie regarda tout le monde et sourit enfin.

— Sachez, en tout cas, que moi, je suis pour cette option : on entre, on fait du thé et on bavarde gentiment.

Dans la petite pièce, tout le monde applaudit bruyamment. L'espace d'un instant, ce fut presque amusant.

48.

Les membres du HRT les plus casse-cou, les plus déchaînés (encore qu'ils le soient presque tous) résument ainsi ce type d'opération à haut risque : « Cinq minutes de panique et d'excitation, à eux la panique, à nous l'excitation. » Ce qui m'aurait excité, c'eût été d'abattre personnellement Geoffrey Shafer.

Les unités d'intervention piaffaient d'impatience. Deux douzaines d'hommes lourdement armés et dotés d'un équipement ultramoderne martelaient le plancher, remontés à bloc, pleinement confiants. Ils avaient la certitude d'être à même de remplir leur mission vite et bien, et à les voir, non seulement je partageais leur enthousiasme, mais je regrettais presque de ne pas pouvoir prendre part à l'assaut.

Le vrai problème, c'était que le succès de l'opération risquait de se retourner contre nous. Nous avions déjà appris, à nos dépens, ce qu'il pouvait en coûter d'enfreindre les ordres du Loup. Mais les hommes que nous avions localisés constituaient peut-être son commando new-yorkais. Que faire ?

Je connaissais à présent tous les détails de l'opération. L'assaut nécessitait le déploiement de tous les effectifs présents. Il y avait six équipes d'intervention et six équipes de tireurs en appui. Deux de trop aux yeux du HRT, qui ne voulait pas de l'aide du SWAT. Les équipes de tireurs d'élite du HRT, composées chacune de sept hommes, avaient pour noms de code X-Ray, Whisky, Yankee et Zoulou. Une équipe du FBI couvrait chaque côté de l'immeuble. Le SWAT se placerait devant et derrière, en appui.

Curieusement, j'avais aujourd'hui la conviction que l'unité d'intervention la plus performante était celle du HRT, alors que je pensais le contraire à l'époque où je faisais partie de la police. Ses snipers, grands spécialistes du « camouflage urbain », avaient dans leur matériel de la mousseline noire, des tubes en PVC et autres gadgets de couleur sombre. Chacun d'eux avait sa cible. Toutes les fenêtres, toutes les portes de l'immeuble étaient dans les viseurs.

Restait à savoir si nous allions donner l'assaut...

Et si le Furet se trouvait toujours à l'intérieur de cette baraque...

Vers 2 h 30 du matin, je me joignis à une équipe de deux hommes qui avait pris position dans un vieil immeuble situé juste en face de notre cible, de l'autre côté de la rue. La tension montait.

Dans une petite pièce, les deux tireurs d'élite s'étaient installés sous leur tente de tissu noir, à un mètre de la fenêtre. Celle-ci demeurait fermée. On m'expliqua :

— Si on a le feu vert, on casse la vitre avec un bout de tuyau. Un peu primaire, peut-être, mais on n'a pas trouvé mieux.

Nous n'échangeâmes que quelques mots dans ce réduit suffocant, mais une demi-heure durant, j'eus l'opportunité de surveiller l'immeuble ciblé à travers la lunette du fusil de secours qu'on m'avait « prêté ». Mon rythme cardiaque s'accélérait. Je cherchais Shafer. Si je l'apercevais, comment rester ici ?

Les secondes s'égrenaient, et mon cœur battait deux fois plus vite. L'équipe d'intervention constituait « les yeux et les oreilles » du commandement, et nous ne pouvions qu'attendre les ordres.

On y va.

Non, on attend.

Je finis par rompre le silence.

— Je descends. Moi, quand ça chauffe, il faut que je sois dans la rue.

49.

Je me sentais déjà mieux.

J'avais rejoint une équipe du HRT, au coin de la rue, à deux pas de la planque des terroristes. Officiellement, je n'étais pas là, mais j'avais appelé Ned Mahoney, qui m'avait arrangé le coup.

3 heures du matin. Les minutes s'étiraient, et ni le centre de commandement new-yorkais ni le FBI, à Washington, ne nous communiquaient la moindre consigne. Quel était leur état d'esprit ? Comment prendre une décision aussi difficile ?

Intervenir ou pas ?

Se plier aux ordres du Loup, ou les enfreindre et en assumer les conséquences ?

3 h 30, 4 heures. Toujours pas un mot d'en haut.

On me donna une tenue de protection pare-balles noire et un pistolet-mitrailleur MP-5. Les types du HRT savaient que Shafer était peut-être sur place, et que j'avais un contentieux avec lui.

Le chef de groupe vint s'asseoir à côté de moi, par terre.

— Ça va aller ?

— J'étais à la criminelle, avant, à Washington. J'en ai fait, des descentes. Et parfois, c'était chaud...

— Je sais. Si Shafer est ici, on l'aura. Ou c'est peut-être vous qui l'aurez.

Oui, je vais peut-être finir par lui faire exploser la tête, qui sait ? pensai-je.

Et là, contre toute attente, on nous donna l'ordre de passer à l'action. Feu vert ! Cinq minutes de panique, cinq minutes d'excitation.

J'entendis aussitôt le bruit des vitres brisées par les tireurs d'élite.

Puis ce fut la course jusqu'au bâtiment. Un déferlement d'hommes en noir, en tenue de combat, armés jusqu'aux dents...

Deux gros hélicoptères Bell surgirent au-dessus de l'immeuble, se mirent en vol stationnaire et lancèrent des cordes. En quelques secondes, d'autres hommes en noir glissèrent jusqu'au toit.

Pendant ce temps, une autre équipe se hissait, elle, le long du mur latéral. Impressionnant.

Un autre des slogans du HRT me traversa l'esprit : « Rapidité, surprise et coup de poing. » C'était exactement cela.

J'entendis trois ou quatre charges explosives faire sauter les portes. Les négociations n'étaient pas à l'ordre du jour, apparemment.

Nous étions à l'intérieur. J'étais à l'intérieur. Enfin...

Des détonations retentirent dans les couloirs obscurs. Puis, j'entendis un crépitement d'arme automatique au-dessus de moi.

Arrivé au premier, je vis sortir d'une pièce un type aux cheveux hirsutes, armé d'un fusil.

— Mains en l'air ! lui hurlai-je. En l'air, bien en l'air !

Il comprenait l'anglais. Il lâcha son arme et leva les mains.

— Où est le colonel Shafer ? Où est Shafer ?

Visiblement dépassé par la situation, il se borna à secouer la tête.

Je le confiai à deux hommes du HRT avant de me précipiter au deuxième étage. Je n'avais qu'une idée en tête : mettre la main sur le Furet. Où se terrait-il ?

Le palier s'ouvrait sur une sorte de grand séjour. Une femme voilée de noir traversa brusquement la pièce en courant.

— Arrêtez-vous ! On ne bouge plus !

Elle ne m'écoutait pas. En se jetant par la fenêtre, elle poussa un grand cri. Puis ce fut le silence. J'avais envie de vomir.

Et quelqu'un hurla enfin :

— Immeuble sécurisé ! Tous les étages sont sécurisés !

Rien, en revanche, sur Geoffrey Shafer. Rien sur le Furet.

50.

L'immeuble grouillait d'hommes du HRT et du SWAT. Toutes les portes avaient sauté, et la plupart des vitres avaient volé en éclats. Nous ne nous étions pas annoncés comme le veut la procédure, mais l'effet de surprise semblait avoir payé. Je regrettais juste d'avoir loupé Shafer, une fois de plus.

La femme qui s'était défenestrée n'avait pas survécu à ses blessures, ce qui arrive lorsqu'on se jette du troisième étage, la tête la première.

Après les congratulations de rigueur, je retrouvai Michael Ainslie sur le palier. Il n'avait pas l'air ravi.

— Washington veut que tu participes aux interrogatoires, me dit-il. On a six clients. Comment comptes-tu t'y prendre ?

— Du nouveau sur Shafer ?

— D'après eux, il n'est pas ici. On ne sait pas exactement. On est toujours à sa recherche.

Ravalant ma déception, je fis le tour du loft improvisé. Des sacs de couchage et quelques matelas tachés, éparpillés sur le plancher nu. Cinq hommes et une femme, menottés comme des prisonniers de guerre. Ce qui était un peu le cas...

Je commençai par les regarder sans dire un mot.

Puis désignai l'homme le plus jeune. Petit, maigre,

des lunettes sans monture apparente et, bien sûr, une barbe bien fournie.

— Lui ! m'exclamai-je en faisant mine de sortir de la pièce. C'est lui que je veux ! Amenez-le-moi, tout de suite !

On le conduisit dans une petite pièce contiguë.

Je revins sur mes pas, scrutai une nouvelle fois les visages de nos suspects et pointai l'index sur un autre homme, jeune lui aussi, aux longs cheveux bouclés et à la barbe drue.

— Celui-là.

On l'emmena également, sans explications.

On me présenta ensuite l'interprète du FBI, du nom de Wasid. Il parlait l'arabe, le farsi et le pachto.

— Il est sans doute saoudien, comme les autres d'ailleurs, me dit-il en m'accompagnant à l'intérieur de la pièce où nous allions procéder aux interrogatoires.

Notre jeune gringalet paraissait extrêmement nerveux. Les terroristes islamiques ont parfois moins peur de mourir que d'être capturés et questionnés par le Diable. C'était là mon principal atout : j'étais le Diable en personne.

J'encourageai l'interprète à pousser le suspect à parler de l'endroit où il était né, des problèmes qu'il avait eus, forcément, en venant vivre à New York, l'antre du démon. Pouvait-il également glisser, au passage, que j'étais un type plutôt sympa, un des rares agents du FBI à ne pas être fondamentalement maléfique ?

— Dis-lui aussi que j'ai lu le Coran. Très beau bouquin.

J'essayais de calquer discrètement mon attitude sur celle du terroriste. Comme lui, je me penchais en avant. Si je pouvais être le premier Américain capable de lui inspirer ne fût-ce qu'une infime parcelle de confiance, peut-être laisserait-il filtrer quelque chose...

Ma méthode fut peu fructueuse, hélas, mais l'homme répondit néanmoins à quelques questions sur la ville dont il était originaire. Il maintenait être arrivé aux États-Unis avec un visa d'étudiant, mais je savais qu'il n'avait pas de passeport. Et il était incapable de situer géographiquement les universités de New York, pas même la principale.

Je finis par me lever et quitter la pièce, ostensiblement énervé, pour aller voir l'autre suspect et recommencer.

Puis je revins voir son comparse. J'avais les bras chargés d'une pile de rapports que je jetai par terre. Le bruit le fit sursauter.

— Dis-lui qu'il m'a menti ! hurlai-je à l'interprète. Dis-lui que je lui avais fait confiance. Dis-lui que, contrairement à ce qu'on a pu lui raconter dans son pays, le FBI et la CIA ne recrutent pas que des imbéciles. N'arrête pas de lui parler. Crie, même, ce sera encore mieux. Ne le laisse pas parler tant qu'il n'aura pas quelque chose à nous dire, et même s'il parle, continue à hurler. Dis-lui qu'il va crever et qu'après, on retrouvera toute sa famille en Arabie Saoudite !

Pendant deux heures, je fis ainsi la navette entre les deux pièces. Mon expérience de psy m'aidait considérablement à déchiffrer les individus, surtout lorsqu'ils étaient en état de stress. Et pour faire bonne mesure, je choisis un troisième suspect, en l'occurrence la seule femme que nous détenions. Chaque fois que je sortais d'une pièce, la CIA prenait la relève. Ce n'était pas de la torture, mais un vrai déluge de questions.

Au cours des stages d'entraînement du FBI, à Quantico, on apprend à pratiquer un interrogatoire en suivant la règle du RPM : rationaliser, projeter, minimiser. Pour ce qui était de rationaliser, je ne mégotais pas :

— Tu es quelqu'un de bien, Ahmed. Tes convictions sont sincères. J'aimerais avoir une foi aussi solide que la tienne.

Je projetais la culpabilité :

— Ce n'est pas de ta faute. Tu es jeune, c'est tout. Le gouvernement américain est parfois capable du pire. Parfois, il m'arrive même de me dire que nous devrions être punis.

Je minimisais les conséquences :

— Pour l'instant, tu n'as commis aucun crime aux États-Unis. La faiblesse de nos lois et de notre système judiciaire peut te protéger.

Tout cela pour en venir à l'essentiel :

— Parle-moi de l'Anglais. Nous savons qu'il s'appelle Geoffrey Shafer. On le surnomme le Furet. Il était ici hier. On a des films, des photos, des enregistrements. On sait qu'il est venu. Où est-il en ce moment ? C'est surtout lui que nous voulons.

Je martelais sans cesse le même message.

— Qu'est-ce que l'Anglais voulait vous faire faire ? C'est lui, le coupable, ni toi ni tes amis. Ça, on le sait déjà. Il faut juste que tu nous éclaires sur certains points. Après, tu pourras rentrer chez toi.

Et je finis par poser les mêmes questions au sujet du Loup.

Rien, pourtant, ne fit céder les terroristes, pas même les plus jeunes. Ils étaient extraordinairement coriaces. Plus disciplinés, plus aguerris qu'ils ne le paraissaient, ils savaient parfaitement ce qu'ils faisaient. Et leur motivation m'impressionnait.

Quoi d'étonnant à cela ? Ils croyaient à quelque chose. Peut-être y avait-il là une leçon à tirer...

51.

J'avais décidé d'interroger un autre suspect, plus âgé, plutôt bel homme, arborant une grosse moustache épaisse et une dentition bien blanche, presque parfaite. Il parlait l'anglais et me fit très vite savoir, non sans une certaine fierté, qu'il avait fait ses études à Berkeley et à Oxford.

— Biochimie et électricité. Est-ce que cela vous surprend ?

Il s'appelait Ahmed El-Masry, et figurait en huitième place sur la liste des personnes recherchées établie par la Sécurité intérieure.

Il était tout à fait disposé à parler de Geoffrey Shafer.

— Oui, c'est vrai, l'Anglais est venu ici. Vous avez raison. Les enregistrements sont fiables, en général. Il prétendait vouloir nous parler de quelque chose d'important.

— C'est ce qu'il a fait ?

El-Masry fronça les sourcils.

— Non, pas vraiment. Nous nous sommes dit qu'il travaillait peut-être pour vous.

— Pourquoi est-il venu vous voir, dans ce cas ? m'étonnai-je. Pourquoi avez-vous accepté de le rencontrer ?

El-Masry eut un geste évasif.

— Par curiosité. Il disait avoir accès à des explosifs nucléaires tactiques.

Je ne pus m'empêcher de grimacer. Mon cœur se mit à battre beaucoup plus vite. Des engins nucléaires à New York ?

— Ces armes, il les avait ?

— Nous avons accepté de le rencontrer. Nous pensions qu'il faisait allusion à des bombes nucléaires miniatures. Elles sont difficiles à trouver, mais ce n'est pas impossible. Comme vous le savez peut-être, les Soviétiques les ont fabriquées pendant la Guerre froide. On ne sait pas combien, ni ce qu'elles sont devenues. La mafia russe a essayé d'en vendre ces dernières années, ou c'est du moins ce qu'on raconte. Je suis mal placé pour vous répondre sur ce point. Je suis venu ici pour enseigner, vous comprenez. Je cherchais du travail.

Un frisson me parcourut. Contrairement aux ogives nucléaires traditionnelles, ces bombes miniatures avaient été conçues pour exploser au sol. De la taille d'une grande valise, elles pouvaient être déclenchées par un seul fantassin.

Elles étaient faciles à dissimuler et à transporter, même à pied, que ce fût à New York, à Washington, à Londres ou à Francfort.

— Alors, avait-il accès à ces mini-bombes nucléaires, ou pas ? répétai-je.

Il haussa les épaules.

— Nous ne sommes que des étudiants et des profs. Pourquoi voudriez-vous que nous nous intéressions à des armes nucléaires ?

Je crus comprendre sa stratégie. Il cherchait la meilleure porte de sortie possible pour lui et les siens.

— Dans ce cas, comment se fait-il qu'une de tes « étudiantes » se soit jetée par la fenêtre ?

Le regard d'El-Masry se fit douloureux.

— Elle a toujours eu peur, à New York. Elle était orpheline, ses parents ont été tués quand les Américains ont envahi l'Afghanistan.

Je hochai lentement la tête, comme si je comprenais, comme si je partageais un peu de sa rancœur.

— Bon, d'accord, tu n'as pas commis de crimes ici. On te surveille depuis des semaines. Mais le colonel Shafer avait-il accès à des armes nucléaires ? Je veux que tu répondes à cette question. C'est important pour toi et pour tes amis. Tu me suis ?

— Je pense. Est-ce une manière de sous-entendre que, si nous coopérons, nous serons expulsés ? Renvoyés chez nous ? Puisque nous n'avons pas commis de crimes ?

Il cherchait manifestement à me faire préciser les conditions d'un éventuel arrangement.

Sans attendre, je rétorquai :

— Certains d'entre vous ont commis, dans le passé, des crimes. Des meurtres. Les autres seront interrogés, puis renvoyés chez eux.

Il opina.

— D'accord. Je n'ai pas eu l'impression que M. Shafer avait des armes nucléaires tactiques en sa possession. Vous dites que nous étions sous surveillance. Peut-être le savait-il ? Et s'il vous avait piégés ? Cela vous paraît-il plausible ? Je ne vais pas vous raconter que j'ai compris ce qui s'est passé, mais c'est une idée qui vient de me traverser l'esprit.

Malheureusement, ce qu'il me disait me paraissait plausible, et je craignais qu'il n'eût raison. Un piège, un test. Logique, quand on connaissait le Loup.

— Comment Shafer a-t-il fait pour ressortir d'ici sans que nous nous en apercevions ?

— Il y a un passage, au sous-sol, qui permet de rejoindre les caves d'un autre immeuble, un peu plus bas. Le colonel Shafer le savait. Il semblait savoir beaucoup de choses sur nous.

Quand j'émergeai enfin dans la lumière du jour, il était 9 heures. J'étais dans un tel état d'épuisement que j'aurais pu dormir par terre, dans une ruelle. On allait bientôt embarquer les suspects, et le quartier était toujours entièrement bouclé. Le tunnel lui-même, susceptible d'être la cible principale, avait été fermé à la circulation.

Avions-nous été manipulés ? Avait-on cherché à tester notre réaction ?

52.

Ce jour-là, je n'étais pas au bout de mes surprises.

Une foule s'était rassemblée au pied de l'immeuble. Tandis que je me frayais un chemin jusqu'à la voiture qui devait me raccompagner chez moi, quelqu'un me héla :

— Dr Cross !

Dr Cross ? Qui pouvait m'appeler ?

Un jeune en blouson jaune et rouge me faisait des signes.

— Dr Cross, par ici ! Dr Alex Cross ! Il faut que je vous parle.

Je le rejoignis. Il devait avoir dans les dix-huit ans.

— Comment connais-tu mon nom ?

Il dodelina de la tête, recula d'un pas.

— On vous avait prévenu. Le Loup vous avait prévenu !

Dès que les mots sortirent de sa bouche, je bondis sur lui. Je l'attrapai par les cheveux, par le blouson, lui fis une clé au cou et le plaquai au sol de tout mon poids.

Le visage écarlate, il se contorsionnait de toutes ses forces en hurlant.

— Hé, on m'a payé pour que je vous donne le message. Lâchez-moi, putain ! Le type m'a filé cent dollars. Je suis juste un messager ! L'Anglais m'a dit que vous étiez le Dr Alex Cross.

Et le messager me fixa des yeux.

— Vous avez pas tellement l'air d'un docteur, je trouve.

53.

Le Loup était à New York. Il ne pouvait manquer le jour fatidique, pas pour tout l'or du monde. Il s'apprêtait à vivre des instants purement délicieux.

Les tractations étaient dans une phase critique. Le président des États-Unis, le Premier ministre anglais, le chancelier allemand refusaient, bien entendu, de négocier. D'afficher aux yeux de tous leur incommensurable faiblesse. *On ne négocie pas avec des terroristes, voyons ! Cela créerait un précédent fâcheux.* Il lui fallait donc faire monter la pression et se montrer plus convaincant encore, jusqu'à ce qu'enfin, ils craquent.

Eh bien, soit ! Il se ferait un plaisir de torturer ces crétins, puisqu'ils n'attendaient que cela. Leur attitude, hélas, ne le surprenait pas...

Il se promena longuement dans l'East Side. Il se sentait au mieux de sa forme, il dominait la partie. Comment les gouvernements de la planète auraient-ils pu rivaliser avec lui ? Il avait l'avantage dans tous les domaines. Pas de politiciens, de magnats de la presse, de bureaucrates, de législateurs ni de sages pour faire obstacle à ses projets. Qui pouvait dire mieux ?

Puis il rentra chez lui. Il possédait plusieurs appartements dans le monde dont celui-ci, en terrasse, doté d'une vue époustouflante sur le fleuve. Il décrocha son téléphone et, tout en malaxant doucement sa balle de caoutchouc, appela un agent du FBI, à New York. C'était une femme, haut placée dans la hiérarchie.

L'agent lui exposa tout ce que le Bureau savait et toutes les mesures prises pour le localiser. En pure perte, bien entendu. Les limiers du FBI avaient bien plus de chances de mettre la main sur Ben Laden que sur lui...

— Et vous voudriez que je vous paie pour ça ? hurla le Loup. Pour me dire ce que je sais déjà ? Je devrais plutôt vous abattre.

Et le Russe éclata de rire.

— Non, je plaisante, chère amie. Vous m'apportez de bonnes nouvelles. J'en ai d'ailleurs une pour vous : il va bientôt, très bientôt, se passer quelque chose, à New York. Ne vous approchez pas des ponts. Les ponts sont des endroits très dangereux. Je suis bien placé pour le savoir.

54.

Bill Capistran, chargé de mener l'opération à bien, n'avait jamais su canaliser son agressivité, ce qui faisait de lui un homme aussi infréquentable que dangereux. Mais un homme qui aurait bientôt la coquette somme de deux cent cinquante mille dollars sur son compte bancaire aux îles Caïmans. Pour cela, il lui suffisait d'exécuter la tâche qu'on lui avait confiée, ce qui ne serait pas excessivement compliqué. *Je peux le faire, no problemo.*

Capistran, vingt-neuf ans, était originaire de Raleigh, Caroline du Nord. Mince, pour ne pas dire longiligne, il avait pratiqué le hockey sur gazon dans l'équipe universitaire, pendant un an, avant de s'engager dans les Marines. Il y était resté trois ans avant de travailler comme mercenaire pour une société de Washington. Et deux semaines plus tôt, approché par Geoffrey Shafer, un type croisé dans la capitale, il avait accepté le plus gros contrat de sa carrière. Pour deux cent cinquante mille dollars...

Il venait de se mettre au travail.

Vers 7 heures du matin, au volant d'une fourgonnette Ford de couleur noire, il traversa Manhattan jusqu'à la 57e Rue, tourna à gauche dans la Première

Avenue puis se gara non loin du pont de la 59ᵉ Rue, également appelé Queensboro.

Deux hommes en salopette blanche sortirent du véhicule en même temps que lui pour prendre leur matériel. Non pas des pots de peinture, des bâches et des escabeaux, mais des explosifs, mélange de C4 et de nitrate, destinés à être placés à l'intérieur des piles du pont, à faible hauteur et à un endroit bien précis, côté Manhattan.

Le Queensboro, Capistran le connaissait maintenant sur toutes les coutures. Un pont d'acier vieux de quatre-vingt-quinze ans, à structure ouverte et flexible, un pont cantilever, très différent des trois autres ponts suspendus qui enjambaient l'East River. Pour le faire sauter, il fallait donc une bombe d'un genre particulier. Et, le hasard faisant bien les choses, Capistran en avait justement une à l'arrière de son fourgon.

Il va y avoir du spectacle, songea-t-il en traînant ses outils vers le pont. Les quartiers chics de Manhattan. Tous ces hommes d'affaires péteux et ces blondes de luxe qui se baladent comme si le monde leur appartenait. Je t'en ficherais, moi...

Malgré l'énervement, il appréciait cet instant et se sentit d'humeur à fredonner un air de circonstance, le fameux « 59th Street Bridge Song » de Simon et Garfunkel. *Feeling groovy...* Deux vrais connards typiquement new-yorkais, ceux-là aussi. Le frisé et la demi-portion. Quel tandem d'enfer !

Ces deux derniers jours, Capistran avait passé le plus clair de son temps à travailler avec deux élèves-ingénieurs de l'université Stony Brook, à Long Island. Ce qui les avait beaucoup amusés, d'ailleurs. Ils faisaient leurs études à New York et c'était en partie grâce à eux que New York allait sauter. Et alors, ils étaient au pays de la liberté, oui ou merde ? Et pour prouver qu'ils avaient le sens de l'humour, à moins que ce ne fût pour rendre hommage aux créateurs de la bombe atomique, ils avaient baptisé leur équipe Projet Manhattan...

Ils avaient d'abord songé à utiliser un explosif civil de type ANFO, mais s'il pouvait creuser un cratère dans une route, ce mélange nitrate-fioul n'aurait pas suffi à faire sauter un pont de la taille du Queensboro. Les deux brillants étudiants avaient expliqué à Capistran qu'on pouvait comparer un explosif ANFO à un pétard lancé dans la rue. Cela revenait « à libérer des forces qui, manquant de courage, cherchent toujours le chemin de la plus faible résistance ». En d'autres termes, la bombe endommageait la chaussée, mais l'essentiel de sa puissance destructrice se dispersait en l'air et sur les côtés.

Il leur fallait quelque chose de beaucoup plus sérieux.

Après mûre réflexion, les étudiants avaient donc imaginé un moyen beaucoup plus sûr de faire sauter ce fichu pont. Ils avaient appris à Capistran où et comment fixer plusieurs petites charges en différents points des fondations. Cette méthode, inspirée de celle qu'utilisaient les sociétés de démolition pour raser les barres d'immeubles désaffectés, fonctionnerait à merveille.

Comme il ne tenait nullement à être arrêté, Capistran avait songé à envoyer des plongeurs déposer les charges au pied des piles du pont. Il était allé faire son petit repérage, à plusieurs reprises, et avait découvert, non sans surprise, que les lieux n'étaient quasiment pas protégés.

C'était le cas ce matin-là. Quand les trois hommes s'aventurèrent sous la travée du pont, personne ne vint les déranger.

De loin, avec son entrelacs de flèches et de pointes d'acier, le vénérable ouvrage suggérait finesse et légèreté. De près, il révélait toute la puissance de sa structure, avec ses énormes poutres et ses rivets de la taille d'une rotule humaine.

La mission semblait insensée, mais Capistran la mènerait à bien sans aucune difficulté.

Parfois, il se demandait pourquoi le monde ne lui inspirait aujourd'hui qu'aigreur et colère. Des années plus tôt, avec les Marines, il avait participé au sauvetage de pilotes abattus, comme Scott O'Grady, en Bosnie. Fini, le temps des héros. Il n'était désormais qu'un capitaliste comme les autres, qui travaillait à l'intérieur du système. Oui, au risque d'en étonner certains, c'était la pure vérité...

En s'avançant sur la poutre d'acier, Capistran se mit à fredonner, puis à chanter : *Groovy. Feeling very groovy.*

55.

Déconcertant, pour ne pas dire étrange...

Le délai expira, et il ne se passa rien.

Aucun message du Loup, aucun attentat, rien. Et cet énigmatique silence radio ne nous rassurait pas, loin de là.

Le Loup était le seul, avec quelques dirigeants de la planète, à savoir ce qui se passait. Le bruit courait que le président, le vice-président et les secrétaires d'État avaient quitté Washington, par précaution.

La menace planait toujours, et la presse s'en donnait à cœur joie. Le *Post*, le *New York Times*, *USA Today*, CNN et les autres réseaux avaient chacun leur version de l'affaire. Plusieurs grandes villes – on ignorait lesquelles – étaient victimes d'un chantage dont l'auteur était inconnu. Et après des années d'alertes jaunes et orange, plus personne ne semblait prendre les rumeurs de menaces très au sérieux.

Cette incertitude jouait certainement un rôle dans la guerre des nerfs qui nous opposait au Loup.

J'étais à Washington le week-end de Pentecôte. Un coup de fil me tira de mon sommeil. On me réclamait d'urgence au siège du FBI.

Il était 3 heures du matin. Que se passait-il ? Y avait-il eu des représailles ? On refusait de me répondre.

— J'arrive.

Furieux, je réussis à trouver la force de me lever, pris rapidement une douche brûlante, puis glacée. Deux minutes plus tard, séché, habillé, j'étais au volant de ma voiture, encore hébété. Tout ce que je savais, c'était que le Loup allait nous appeler dans une demi-heure.

À 3 h 30 du matin, un jour férié, alors que le délai avait expiré… Ce type ne se contentait pas de nous manipuler, il avait décidé de nous faire souffrir.

Arrivé au QG de crise, au quatrième étage, je me rendis compte qu'une bonne douzaine de personnes étaient déjà sur place. Nous nous saluions comme de vieux amis se retrouvant autour du cercueil d'un des leurs. D'autres agents arrivèrent, l'œil vague. Personne n'avait l'air vraiment réveillé. Quand on nous apporta enfin quelques cafetières, une file d'attente se forma aussitôt. Tout le monde semblait nerveux, à cran.

— Pas de viennoiseries ? s'étonna quelqu'un. Je sens bien qu'on ne m'aime plus.

Mais cela ne fit rire personne.

Burns débarqua quelques minutes plus tard, en costume-cravate, couleur sombre. Inhabituel chez lui, surtout à une heure aussi matinale. J'eus le sentiment que, comme nous, il ignorait ce qui se passait. Le Loup tirait toutes les ficelles, et nous demeurions impuissants.

— Et dire que je passais pour un patron exigeant… lâcha Burns au bout d'un instant de silence.

On entendit quelques rires.

— Je vous remercie d'être venus.

Le Loup appela à 3 h 43. Toujours la même voix déformée, le même ton suffisant et dédaigneux.

— Vous vous demandez sans doute pourquoi j'ai

convoqué cette réunion en pleine nuit. Parce que je peux le faire. Elle vous plaît, ma réponse ?

» Au cas où vous ne l'auriez pas encore remarqué, je ne vous aime pas beaucoup. Je ne vous aime pas du tout, à dire vrai. J'ai mes raisons, de bonnes raisons. Je déteste toutes les valeurs de l'Amérique. Alors, il est possible que j'agisse également par esprit de vengeance. Peut-être m'avez-vous fait du tort jadis ? Peut-être avez-vous fait du tort à ma famille ? C'est un élément de l'énigme. Pour moi, cette revanche est un peu... comment dire... la cerise sur le gâteau.

» Mais revenons-en au présent. Reprenez-moi si je me trompe, mais il me semble vous avoir interdit de chercher à me localiser.

» Et vous, que faites-vous ? Vous vous invitez brutalement, à Manhattan, chez six malheureux que vous soupçonnez de travailler avec moi. Dans sa détresse, une pauvre fille s'est même jetée par la fenêtre. Je le sais, je l'ai vue tomber ! Je suppose que votre raisonnement – si on peut parler de raisonnement – était qu'en me privant de mes intervenants locaux vous alliez sauver New York.

» Oh, désolé, j'ai failli oublier : il y a aussi cette histoire de délai que vous n'avez pas respecté.

» Pensiez-vous que j'avais oublié ? Non, je n'ai pas oublié, et cela d'autant que je considère votre attitude comme une insulte à mon égard. Alors, maintenant, vous allez voir ce que je suis capable de faire...

56.

À 3 h 40 du matin, conformément aux instructions qu'il avait reçues, le Furet s'installa sur un banc, face à l'East River, à l'angle de Sutton Place et de la 57ᵉ Rue. Ce job lui déplaisait à plusieurs titres, mais présentait malgré tout deux aspects très largement positifs : il était grassement payé, et se retrouvait au cœur de l'action, comme jadis. Toujours là où ça chauffe, pensa-t-il.

Il contempla les eaux rapides et noirâtres du fleuve. Un remorqueur rouge frappé d'un grand MCAL-LISTER BROTHERS ouvrait la voie à un porte-conteneurs. Ne dit-on pas que cette ville ne dort jamais ? D'ailleurs, les bars de la Première et de la Deuxième Avenue servaient encore leurs derniers clients. Et un peu plus tôt, il était passé devant une clinique vétérinaire ouverte toute la nuit. Un service d'urgences pour animaux domestiques ? Quelle ville ! L'Amérique était vraiment devenue un pays de dégénérés...

Bientôt, de très nombreux New-Yorkais allaient se réveiller en sursaut, et ils auraient le plus grand mal à retrouver le sommeil. Il y avait des pleurs et des grincements de dents en perspective. Dans une petite minute, le Loup ferait le nécessaire.

Sans perdre de vue l'East River et le Queensboro

Bridge, Shafer regarda la trotteuse de sa montre égrener les dernières secondes avant l'heure fatidique.

Il y avait encore de la circulation, malgré l'heure tardive. Des voitures particulières, des taxis, pas mal de poids lourds. Plus d'une centaine de véhicules devaient être en train de franchir le pont. Pauvres cons !

À 3 h 43, Shafer enfonça l'une des touches de son téléphone mobile.

Ceci eut pour effet de transmettre un bref signal codé à une petite antenne fixée sous le pont, côté Manhattan. Un contact se fit...

Qui actionna un détonateur...

Et quelques millièmes de secondes plus tard, un message terrifiant parvenait aux New-Yorkais comme aux autres habitants du globe.

Un message symbolique.

Un réveil en fanfare, un de plus.

Une gigantesque explosion balaya les arcs et les poutrelles du pont de la 59ᵉ Rue. Tous les points d'ancrage cédèrent sur-le-champ, et les vieilles structures d'acier se brisèrent comme des coquilles. Éjectés avec une force incroyable, d'énormes rivets tournoyèrent vers les eaux de l'East River. La chaussée se rétracta. Mille crevasses fendillèrent les dalles de béton armé.

La travée supérieure se cassa littéralement en deux, et les pans gigantesques s'abattirent comme des bombes sur la travée inférieure qui se mit à tanguer en se désagrégeant peu à peu.

Les véhicules tombaient dans les eaux de l'East River. Un fourgon arrivant d'une imprimerie du Queens, chargé de quotidiens, glissa en arrière sur la chaussée retournée avant de plonger en vrille pour s'abîmer dans le fleuve. D'autres voitures, d'autres camions tombaient comme des poids morts. Les lignes électriques se détachèrent l'une après l'autre en déclenchant des traînées d'étincelles sur toute la longueur du pont. Des douzaines d'automobiles basculèrent dans le fleuve et sombrèrent rapidement.

Quelques personnes eurent le temps de s'extraire de leurs voitures pour sauter à l'eau, sans aucune chance de survie. Des hurlements de terreur parvinrent jusqu'aux oreilles de Shafer.

Et l'on vit s'allumer dans tous les appartements des lampes, puis des écrans de télévision et d'ordinateurs. Les New-Yorkais étaient en train d'apprendre l'invraisemblable nouvelle : un attentat monstrueux, encore inconcevable quelques années plus tôt, venait de frapper leur ville.

Son travail de nuit achevé, Geoffrey Shafer se leva de son banc pour aller dormir un peu. Enfin, s'il réussissait à trouver le sommeil. Car ce n'était que le début, et il l'avait bien compris. Sa prochaine étape était Londres.

Le London Bridge, se dit-il. Tous les ponts de la planète qui s'écroulent, la société moderne qui craque aux coutures. Le Loup est peut-être fou, mais lorsqu'il a décidé de faire le mal, il le fait avec un tel talent ! C'est un fou de génie !

III

LA PISTE DU LOUP

57.

Comme il était au téléphone, le Loup releva le pied de l'accélérateur jusqu'à ce que le compteur de sa puissante Lotus noire n'affiche plus que 160 km/h. Des téléphones mobiles, il en avait six avec lui. Il était 1 heure du matin et il se dirigeait vers Montauk, à l'extrémité de Long Island, ce qui lui laissait amplement le temps de boucler sa réunion de travail. Il était en effet en ligne avec le président des États-Unis, le chancelier allemand et le Premier ministre anglais. Rien de tel qu'une conférence au sommet, entre pairs...

— L'appel est impossible à localiser, leur précisat-il. Ne perdez pas votre temps, mes techniciens sont meilleurs que les vôtres. Bon, avez-vous eu le temps de réfléchir à mes propositions ? Nous avons dépassé le délai de huit heures. Alors ?

— Il nous faut davantage de temps, répondit le Premier ministre anglais.

Il s'exprimait au nom du groupe. Bravo. Était-ce lui qui pilotait ? C'eût été surprenant. Le Loup l'avait toujours imaginé plus suiveur que meneur.

— Vous ne vous rendez pas compte... commença le président américain.

— Arrêtez ! l'interrompit le Loup, savourant cette

démonstration d'irrévérence. Je ne veux plus entendre vos mensonges !

— Il faut que vous écoutiez ce que nous devons vous dire, intervint le chancelier allemand. Laissez-nous au moins la possibilité...

Le Loup mit brutalement fin à la conversation. Il alluma un beau havane, tira quelques bouffées satis-faites et reposa le cigare dans le cendrier. Puis il rap-pela, avec un autre téléphone.

Ils étaient toujours là, ils attendaient. Oh, il ne les sous-estimait pas, ces hommes de pouvoir, mais avaient-ils vraiment le choix ?

— Vous voulez que j'attaque les quatre villes ? Faudra-t-il cela pour prouver que je ne plaisante pas ? Je suis prêt à le faire tout de suite, il suffit que je donne un ordre, mais ne me dites pas qu'il vous faut davantage de temps. Ce n'est pas vrai ! Les pays qui détiennent les prisonniers sont vos pantins, et vous le savez très bien.

» Le vrai problème, c'est que vous ne voulez pas qu'on vous voie tels que vous êtes, que le monde entier se rende compte que vous êtes faibles et impuissants. Et pourtant, c'est le cas ! Comment a-t-on pu en arriver là ? Qui a placé au pouvoir des gens comme vous ? Qui vous a élus ? Bref, je veux l'argent *et* les prisonniers politiques. Au revoir...

Le Premier ministre anglais prit la parole juste avant qu'il ne raccroche :

— Non, vous vous trompez ! C'est vous qui avez un choix à faire, pas nous. Vous êtes en position de force, et nous en sommes parfaitement conscients, mais il nous est impossible, matériellement, de vous donner satisfaction en un temps aussi court, et je pense que vous le savez. Nous n'avons pas envie de traiter avec vous, c'est vrai, mais nous le ferons quand même. Nous devons le faire. Il nous faut simplement davantage de temps, mais ce sera fait. Nous vous le promettons.

Le Loup haussa les épaules. Décidément, cet homme le surprenait. Pas un mot de trop, et du cran...

— Je vais y réfléchir.

Il raccrocha et reprit son cigare en songeant avec délectation qu'il était devenu l'homme le plus important du monde. Et que, contrairement aux autres, lui était taillé pour ce poste.

58.

Le vol British Airways en provenance de New York arriva à 6 h 05. L'un des passagers de la classe affaires s'appelait Randolf Wohler, comme en attestaient son passeport et autres pièces d'identité. C'est bon de rentrer chez soi, se dit Ranfold Wohler, qui n'était autre que Geoffrey Shafer. Et ce sera encore plus jouissif si c'est moi qui raie Londres de la carte.

Le septuagénaire distingué passa la douane sans encombre. Il songeait déjà à la visite qu'il allait rendre à ses enfants. La mission lui paraissait pour le moins étrange, mais il n'avait pas l'intention de discuter les ordres du Loup. Et d'ailleurs, il avait très envie de voir sa progéniture. Papa était parti beaucoup trop longtemps.

Le nouveau rôle qui l'attendait faisait partie du puzzle. Les mioches vivaient avec la sœur de sa défunte épouse, dans une petite maison, tout près de Hyde Park. Shafer gara sa Jaguar type S de location et reconnut les lieux. Il avait conservé un assez mauvais souvenir de sa femme, Lucy Rhys-Cousins, si froide, si mesquine. Il l'avait tuée dans un super-marché de Chelsea, sous les yeux de ses filles jumelles. Un geste authentiquement charitable qui avait fait trois orphelins, Tricia et Erica, donc, six ou sept ans maintenant, et Robert, qui devait en avoir quinze. Pour Shafer, il ne faisait aucun doute qu'ils étaient bien mieux sans leur geignarde de mère.

Il frappa à la porte, se rendit compte qu'elle n'était pas verrouillée et entra donc sans attendre d'y être invité.

Judi, la sœur cadette de sa femme, était en train de jouer avec les jumelles, sur le tapis du salon. Au Monopoly, un jeu auquel elles étaient toutes capables de perdre, à son avis. Dans ce trio, il n'y avait pas une seule gagnante...

— Papa est rentré ! s'exclama-t-il, le visage fendu d'un horrible sourire, et il braqua un Berreta sur la poitrine de cette chère tante Judi.

» Je ne veux pas entendre un son, Judi. Ne me donne pas le moindre prétexte. Appuyer sur la détente serait si facile, et me procurerait un tel plaisir. Sache que je te déteste sincèrement, toi aussi. Tu me rappelles ta sœur bien-aimée, en plus gros.

» Bonjour, mes chéries ! Dites bonjour à votre gentil petit papa. Pour venir vous voir, j'ai fait tout le chemin depuis l'Amérique.

Ses adorables petites se mirent à pleurer. Alors, pour rétablir le silence, il ne vit qu'une solution. Il pointa son pistolet sur le visage de Judi, en larmes, et s'avança vers elle.

— Fais-les taire tout de suite ! Montre-moi que tu es digne de les élever !

La jeune femme se pencha pour serrer les jumelles contre sa poitrine, ce qui, sans vraiment mettre fin aux pleurs, en atténua le bruit.

Shafer se glissa derrière elle pour lui coller le canon de son arme sur la nuque.

— Judi, écoute-moi bien : même si j'en ai très envie, je ne suis pas là pour te baiser et te tuer. En fait, je dois te donner un message à faire passer au ministère de l'Intérieur. En ce moment, par une étrange ironie du destin, ton absurde et misérable vie a une importance. J'ai du mal à y croire, et pourtant...

Tante Judi semblait désemparée. Ce qui, aux yeux de Shafer, était son état habituel.

— Comment je fais ? bredouilla-t-elle.

— Tu appelles les flics, connasse ! Maintenant, ferme ta gueule et écoute-moi. Tu leur expliques que je suis venu te voir, et que je t'ai dit que plus personne n'était en sécurité. Ni les flics, ni leurs familles. On peut passer chez eux comme je suis passé chez toi aujourd'hui.

Et pour s'assurer qu'elle avait bien compris le message, Shafer le répéta à deux reprises. Puis il se tourna vers Tricia et Erica, qui l'intéressaient à peu près autant que les ridicules poupées de porcelaine censées décorer la tablette de la cheminée. Il avait horreur de ces affreux bibelots auxquels sa femme avait toujours voué un attachement pathologique, comme s'ils étaient vivants.

— Comment va Robert ?

Les jumelles demeurèrent sans réaction.

Je rêve... Les filles s'étaient déjà approprié l'air désespérément paumé de leur mère et de leur tante, la reine du bafouillage. Elles ne prononçaient pas un mot.

— Robert est votre frère ! hurla Shafer, et elles se remirent à sangloter. Comment va-t-il ? Comment va mon fils ? Dites-moi quelque chose ! Il s'est fait greffer une deuxième tête ? Je ne sais pas, moi, n'importe quoi !

— Il va bien, finit par geindre Tricia.

— Oui, il va bien, répéta Erica.

— Il va bien, donc, fit Shafer. Tant mieux.

Décidément, ces deux clones de la mère ne lui inspiraient que du dédain... En revanche, il devait reconnaître que Robert lui manquait un peu. Ce gamin légèrement tordu l'avait fait rire, de temps en temps.

— Bon, maintenant, on fait un bisou à papa, décréta-t-il, en ajoutant : Je suis votre père, pauvres pommes. Au cas où vous l'auriez oublié.

Les filles refusèrent de l'embrasser, et comme il n'avait pas l'autorisation de les tuer, il décida de fuir cette atroce maison, non sans balayer au passage, d'un geste brutal, les poupées de porcelaine qui se fracassèrent sur le parquet.

— En souvenir de votre mère ! lança-t-il sans se retourner.

59.

Ce dont les soldats américains en Irak se plaignent le plus souvent, c'est cette impression d'évoluer dans un environnement absurde, où rien ne semble répondre à la moindre logique. La guerre moderne évolue ainsi. Et je commençais à vivre la même chose.

Le délai avait expiré, et nous étions engagés dans une course contre la montre. Depuis plusieurs jours, je n'avais plus le temps de souffler. J'étais maintenant dans un avion pour Londres, accompagné de deux agents de notre section antiterroriste internationale.

Geoffrey Shafer se trouvait en Grande-Bretagne. Et comme si cela ne suffisait pas, il tenait à nous le faire savoir. Lui, ou quelqu'un d'autre.

Arrivé à l'aéroport d'Heathrow un peu avant 6 heures du matin, je pris une chambre d'hôtel, à côté de Victoria Street, histoire de dormir quelques heures. Puis je me rendis à New Scotland Yard, sur Broadway, ravi de découvrir ce quartier. Buckingham Palace, l'abbaye de Westminster, le Parlement...

On me conduisit aussitôt dans le bureau de l'inspecteur-surintendant Martin Lodge, lequel m'informa modestement que grâce à lui, la brigade antiterroriste, autrement dit le SO13, obtenait de bons résultats. Et tandis que nous nous rendions au briefing du matin, il retraça brièvement sa carrière :

— Je suis un ancien flic, comme vous. J'ai travaillé un peu avec le SIS en Europe, et j'ai passé onze ans dans la police londonienne. J'ai fait mes classes à Hendon, je suis devenu îlotier, ensuite j'ai voulu devenir inspecteur, et comme je parle plusieurs langues, on m'a muté au SO13.

Il s'interrompit. J'en profitai pour essayer de placer un mot.

— Votre brigade antiterroriste a la réputation d'être la meilleure d'Europe. Avec l'IRA, elle a acquis une longue expérience.

Je le vis sourire. Le petit sourire en coin du soldat qui n'en est pas à sa première campagne.

— C'est parfois en commettant des erreurs qu'on apprend le plus, et on en a commis, en Irlande. Enfin, nous y voilà, Alex. Ils attendent tous à l'intérieur, ils sont impatients de vous rencontrer. Préparez-vous néanmoins à entendre des conneries, vu que le MI5 et le MI6 seront l'un et l'autre présents. Ils passent leur temps à se tirer dans les pattes. Ne vous laissez pas impressionner. On arrive toujours à régler le problème. Enfin, la plupart du temps...

Je hochai la tête.

— Comme le FBI et la CIA chez nous. Je suis sûr que j'ai déjà vu ça.

L'inspecteur-surintendant Lodge avait vu juste, et je me fis la réflexion que cette guerre des services, même en période de crise aiguë comme aujourd'hui, ne devait pas faciliter la tâche de Londres.

Quelques agents de la Special Branch étaient également présents, ainsi que le chef de cabinet du

Premier ministre et les principaux responsables des services d'urgences.

Encore une réunion. Je perdais mon temps. En prenant place, je me retins de hurler : « Le délai a expiré, maintenant ils font sauter leurs bombes ! »

60.

La grande villa sur l'océan située à la sortie de Montauk, à Long Island, n'appartenait pas au Loup. Il l'avait louée. Quarante mille dollars la semaine, même hors saison. Une véritable arnaque, mais c'était pour lui sans grande importance. Aujourd'hui, en tout cas.

Il fallait toutefois reconnaître que la propriété en imposait – une belle demeure de style colonial dominant la plage, une immense piscine à l'abri, une longue et large allée de gravier, et une file de grosses berlines et de limousines autour desquelles s'étaient regroupés des chauffeurs de forte carrure en costumes sombres.

Tout ce qui est ici, se dit-il avec une pointe d'amertume, *a été payé avec mon fric, ma sueur, mes idées* !

Plusieurs de ses associés de la mafia russe l'attendaient à l'intérieur du salon-bibliothèque d'où ils jouissaient d'une vue panoramique sur la plage déserte et les rouleaux de l'Atlantique.

Lorsqu'il entra dans la pièce, ils lui serrèrent la main en lui rappelant qu'ils étaient ses meilleurs, ses plus proches amis, ils lui donnèrent des tapes dans le dos et sur les épaules en marmonnant qu'ils étaient ravis de le voir et autres hypocrisies d'usage. Les rares qui connaissent ma tête. Le premier cercle, ceux en qui j'ai le plus confiance, pensa-t-il.

Le déjeuner avait été servi avant son arrivée, puis tout le personnel avait été prié de quitter les lieux. Il s'était garé derrière la maison, était entré par les cuisines. Nul ne l'avait vu, hormis les neuf hommes présents ici.

Il alluma un cigare. *À la victoire.*

— Ils ont demandé un délai supplémentaire, annonça-t-il entre deux délicieuses bouffées. Incroyable, non ?

Autour de la table, les Russes riaient. Ils partageaient le mépris du Loup pour les gouvernements et les dirigeants de la planète. Les hommes politiques étaient faibles par nature, et les rares qui, tout en ayant de la poigne, réussissaient à accéder au pouvoir, se voyaient très vite muselés par le processus gouvernemental. Il en avait toujours été ainsi.

— Faites tomber le couperet ! cria quelqu'un.

Le Loup sourit.

— Oui, c'est ce que je devrais faire, mais ils ont raison sur un point : si nous agissons maintenant, nous sommes perdants. Permettez-moi de les appeler. Ils attendent une réponse. Intéressant, non ? Nous négocions avec les États-Unis, la Grande-Bretagne et l'Allemagne. Comme si nous étions une puissance mondiale.

Le Loup leva l'index : l'appel était en cours.

— Tout le monde est là ? demanda-t-il.

Ils étaient tous là.

— Bien, l'heure n'est plus aux bavardages. Voici la décision que j'ai prise. Vous avez deux jours de plus, jusqu'à 7 heures, heure de New York. Mais... le prix vient de doubler !

Et il raccrocha.

Il regarda ses associés.

— Alors, vous approuvez, ou pas ? Savez-vous combien d'argent je viens de vous faire gagner ?

Applaudissements, ovations.

Le Loup passa le restant de l'après-midi avec eux. Il supporta leurs faux compliments, leurs requêtes maladroitement déguisées en suggestions, mais d'autres affaires l'attendaient à New York, et il les laissa donc profiter de ce cadre magnifique.

— Les demoiselles vont bientôt arriver, leur promit-il. Des mannequins, des reines de beauté new-yorkaises. Les plus belles chattes du monde, paraît-il. Amusez-vous bien.

Grâce à mon fric, ma sueur, mon génie.

Il reprit le volant de sa Lotus, direction l'auto-route. Au bout d'un moment, il cessa de malaxer sa balle de caoutchouc noire, la posa et sortit son téléphone mobile. Appuya sur quelques touches. Un code fut transmis. Un contact se fit, qui actionna un détonateur.

Malgré la distance, le Loup perçut dans le lointain l'explosion de la somptueuse villa. Il n'avait plus besoin de ces types, il n'avait plus besoin de personne.

Zamochit ! Les bombes avaient brisé tous les os de leurs pauvres corps inutiles.

La revanche.

Quel bonheur !

61.

Quand on nous informa que l'ultimatum avait été repoussé de deux jours, ce fut comme un immense soulagement, même si nous savions qu'il n'y aurait pas de répit pour autant. Et moins d'une heure plus tard, nous apprenions qu'une explosion d'origine criminelle avait tué plusieurs gros bonnets de la mafia russe, à Long Island. Que devions-nous en penser ? Le Loup avait-il encore frappé ? En prenant pour cible, cette fois, ses propres compatriotes ?

Les réunions se succédèrent tout au long de la journée, après quoi on n'eut plus besoin de moi. J'avais rendez-vous vers 22 heures avec une amie d'Interpol. Nous avions décidé de nous retrouver au Cinnamon Club, un restaurant situé à l'emplacement de la Old Westminster Library, sur Great Smith Street.

Je ne sentais même plus ma fatigue, et j'étais ravi, comme toujours, de retrouver Sandy Greenberg. J'avais rarement l'occasion de travailler avec des collègues aussi brillants qu'elle. Peut-être avait-elle des idées à me soumettre, à propos du Loup ou du Furet. Et de toute manière, en Europe, personne ne connaissait le milieu aussi bien qu'elle.

Seuls ses amis les plus proches, dont j'ai la chance de faire partie, l'appellent Sandy. Pour les autres, c'est

Sondra. Grande, belle, un peu gauche mais non sans une certaine classe, elle a de l'esprit à revendre. Elle me fait beaucoup rire. Elle me prit dans ses bras et me gratifia d'une grosse bise sur les deux joues.

— Il n'y a que comme ça que je peux te voir, Alex ? En cas d'alerte planétaire majeure ? Et tu dis que tu m'aimes ?

— Tu sais, il suffit que tu viennes à Washington, rétorquai-je. Cela dit, je te trouve une mine superbe.

— J'espère bien. Viens, j'ai réservé une table dans le fond. Tu sais que tu m'as beaucoup manqué ? Ce que je suis contente de te voir... Tu me sembles en pleine forme, toi aussi, malgré les événements. Il faut que tu me donnes ton secret !

On nous servit des plats très *fusion*, un mélange de cuisine indienne et européenne inconnu aux États-Unis, ou du moins à Washington. Pendant plus d'une heure, il ne fut question que de l'affaire. Puis, au moment du café, la conversation se détendit enfin pour prendre un tour plus personnel. J'avais remarqué que Sandy portait une chevalière en or et un anneau en jonc tressé au petit doigt.

— Très joli.

— Un cadeau de Katherine, me dit-elle en souriant.

Elle vivait avec Katherine Grant depuis une dizaine d'années, et c'était l'un des couples les plus heureux que je connaisse. Fallait-il en tirer des conclusions ? Je ne m'y serais pas risqué, moi qui étais incapable de gérer ma propre vie.

— Je constate que toi, en tout cas, tu ne t'es toujours pas remarié, fit-elle.

— Quelle perspicacité !

— Eh, que veux-tu, les enquêtes, c'est ma grande spécialité. Bon, raconte-moi tout, Alex.

— Ça va être vite fait, répondis-je. Je sors avec quelqu'un que j'aime beaucoup...

Elle ne me laissa pas poursuivre.

— Arrête, tu aimes beaucoup tout le monde. Tu es comme ça, Alex. Même Kyle Craig, tu l'aimais bien. Tu lui trouvais des bons côtés, à cet enfoiré de psychopathe.

— Tu as peut-être raison d'une manière générale, mais Kyle, c'est du passé, et il n'y a rien que j'aime chez le colonel Geoffrey Shafer. Ni chez ce Russe qui se fait appeler le Loup.

— Bien sûr que j'ai raison, très cher. Alors, qui est cette femme incroyable que tu aimes beaucoup et dont tu t'apprêtes à briser le cœur, à moins que ce ne soit l'inverse ? En tout cas, ce sera elle ou toi, j'en suis sûre. Pourquoi passer ton temps à te faire du mal ?

Je ne pus que sourire.

— Elle est aussi inspecteur. Enfin, elle a le grade d'inspecteur principal. Elle vit à San Francisco.

— C'est pratique. Génial, Alex. Il y a quoi, trois mille cinq cents kilomètres entre San Francisco et Washington ? Autrement dit, vous vous voyez, au mieux, disons... un week-end tous les deux mois ?

— Je vois que tu n'as rien perdu de ton mordant.

— Je m'entraîne tous les jours, il n'y a que ça. Donc, tu n'as pas encore trouvé la femme qui te convient. Dommage. Quel gâchis. J'ai quelques copines. Enfin, non, oublions... Laisse-moi tout de même te poser une question très personnelle. Es-tu sûr d'avoir fini de faire ton deuil de Maria ?

Quand Sandy enquête, elle a des idées que les autres n'ont pas, elle explore des zones souvent négligées. Ma femme, Maria, était morte dix ans plus tôt, victime de coups de feu tirés d'une voiture. Je n'avais jamais réussi à élucider ce meurtre, et peut-être n'avais-je effectivement pas fini de faire mon deuil. L'un et l'autre étaient sans doute liés. L'affaire était toujours en cours, et je ressentais un pincement douloureux chaque fois que j'y pensais.

— Je suis complètement accro à Jamilla Hughes, dis-je. C'est tout ce que je sais pour l'instant. On s'apprécie. Qu'y a-t-il de mal ?

Sandy sourit.

— Tu me l'as déjà dit, Alex. Tu l'aimes beaucoup. Mais tu n'as pas dit que tu étais follement éperdument amoureux, et tu n'es pas le genre de type à te contenter d'être « accro ». Pas vrai ? J'ai raison, évidemment. J'ai toujours raison.

— Tu sais que, toi, je t'adore ?

— Ah, dans ce cas, ça règle la question. Tu dors chez moi ce soir.

— Bon, d'accord.

Cela nous fit beaucoup rire, mais une demi-heure plus tard, elle me déposa devant mon hôtel.

— S'il te vient une idée... lui dis-je en descendant de taxi.

— Je m'en charge, me répondit Sandy.

Je savais que je pouvais compter sur elle. J'avais besoin de toute l'aide possible en Europe.

62.

Henry Seymour habitait non loin du repaire du Furet, dans Edgware Road. Certains surnommaient le petit Liban ce quartier situé entre Marble Arch et Paddington. Et ce matin-là, en se rendant à pied, sans se presser, chez l'ancien membre du SAS, le colonel Shafer se demanda ce qui était arrivé à cette ville, *sa* ville, et d'une manière générale, à ce foutu pays qui était le sien. Quel triste spectacle !

Partout, ce n'étaient qu'épiceries, cafés et restaurants orientaux. Des effluves de taboulé, de soupe aux lentilles, de pastilla empestaient l'air, alors qu'il n'était que 8 heures du matin. Devant un marchand de journaux, deux vieux fumaient le narguilé. Qu'est-il arrivé à mon pays, bordel ? pensait-il.

L'appartement d'Henry Seymour se trouvait au-dessus d'une boutique de vêtements pour hommes, au deuxième étage. Dès que Shafer frappa, la porte s'ouvrit.

Et le Furet découvrit, décontenancé, un homme amaigri. Henry semblait avoir perdu une bonne quinzaine de kilos depuis leur dernière rencontre, qui remontait à quelques mois à peine. Et sa barbe noire, frisée et bien fournie, s'était réduite à un chaume poivre et sel inégalement réparti.

Oui, Shafer avait bien du mal à reconnaître son ancien camarade de combat, l'un des meilleurs artificiers qu'il eût jamais vu. Ils s'étaient battus côte à côte pendant l'opération Tempête du Désert, puis en Sierra Leone, en qualité de mercenaires. En Irak, Shafer et Seymour avaient été affectés aux sections mobiles du 22ᵉ régiment des SAS, les forces spéciales. Ils étaient essentiellement chargés de s'infiltrer derrière les lignes ennemies pour semer la pagaille.

Ce pauvre Henry ne paraissait plus être en mesure de faire beaucoup de dégâts, mais les apparences étaient peut-être trompeuses. Enfin, il fallait l'espérer...

— Alors, prêt pour un boulot, une mission importante ? lui demanda Shafer.

Henry Seymour sourit. Deux de ses incisives manquaient à l'appel.

— Une mission suicide, j'espère.

— J'avoue que ce n'est pas une mauvaise idée.

Il s'assit face à Henry et lui expliqua le rôle qu'il souhaitait lui confier. Quand ce fut fini, son vieil ami ne put s'empêcher d'applaudir.

— J'ai toujours rêvé de faire sauter Londres. Je suis le type idéal pour ce job.

— Je sais, fit le Furet.

63.

Nous étions plusieurs centaines, flics et officiels, à écouter le Dr Stanley S. Bergen, de Scotland Yard, dans une salle de conférences bourrée à craquer. Le Dr Bergen, un petit bonhomme qui devait peser son quintal et affichait sa soixantaine, n'en avait pas moins une indéniable présence.

Il s'exprimait sans notes, et tous les regards étaient rivés sur lui. Chacun, dans cette salle, savait que chaque minute comptait.

— Nous sommes à un stade critique, déclara le Dr Bergen. Nous devons nous préparer à mettre en œuvre notre plan d'urgence en cas d'attaque sur Londres. C'est le London Resilience Forum qui pilotera les opérations. Je le sais très compétent, et je voudrais que vous partagiez ma confiance.

» Voici donc de quelle manière la capitale réagira. Si nous sommes *prévenus* de l'imminence d'un attentat de grande ampleur, le temps d'antenne de toutes les radios et télévisions sera réquisitionné. Des messages d'alerte seront également diffusés par SMS sur les téléphones mobiles, et sur les bipeurs. Nous ferons également appel à des moyens plus classiques et sans doute moins efficaces, haut-parleurs, sirènes, etc.

» Disons simplement que si nous savons qu'un

attentat est imminent, la population en sera informée. Le directeur de la police métropolitaine ou le ministre de l'Intérieur interviendront à la télévision.

» En cas d'explosion ou d'attaque chimique, la police et les pompiers seront immédiatement sur place. Dès que l'on saura précisément ce qui s'est passé, le secteur touché sera isolé. La police et les pompiers délimiteront trois zones : une zone chaude, une zone tiède et une zone froide.

» S'il y a des survivants en zone chaude, ils y seront confinés jusqu'à ce qu'ils soient décontaminés, dans la mesure du possible.

» Les services de lutte anti-incendie et les secours se positionneront en zone tiède. C'est également là que seront installées les douches de décontamination.

» La zone froide sera réservée aux enquêteurs, aux véhicules de commandement et aux ambulances.

Le Dr Bergen s'interrompit et nous regarda. Nous lisions sur son visage une grande inquiétude, certes, mais aussi toute la compassion qu'il éprouvait pour sa ville et ses concitoyens.

— Certains d'entre vous auront remarqué que je n'ai jamais utilisé le terme « évacuation ». Il y a à cela une raison très simple : nous n'avons pas la possibilité de faire évacuer Londres, sauf à commencer tout de suite, or le Loup nous a prévenus que dans ce cas, les frappes seraient immédiates.

On nous distribua des cartes et des fascicules de consignes d'urgence. Le moral des troupes semblait être au plus bas.

J'étais en train de parcourir ma documentation quand Martin Lodge vint me souffler à l'oreille :

— Le Loup nous a appelés. Ça va vous plaire. Il dit qu'il aime beaucoup notre plan d'action. Il pense, comme nous, que tenter de faire évacuer Londres ne servirait à rien et que...

Soudain, une formidable déflagration secoua tout l'immeuble.

64.

Quand je finis par atteindre le rez-de-chaussée, ce fut pour découvrir une scène de chaos indescriptible. De la fameuse sculpture métallique, l'enseigne de Scotland Yard, il ne restait plus rien. Devant l'entrée, réduite à une brèche fumante dans un amas de ruines, les restes d'une fourgonnette noire s'étaient encastrés dans le bitume du trottoir.

Il avait déjà été décidé de ne pas déménager. Pas question d'abandonner le navire. Je trouvais ce choix judicieux, ou tout au moins courageux. En arrivant au QG de crise, je vis une bonne vingtaine de collègues en train de visionner la bande d'une caméra de surveillance, dans la pénombre. Martin Lodge se trouvait là.

Je trouvai une place dans le fond de la salle et commençai à regarder, les mains tremblantes.

On voyait Broadway et les policiers armés en faction devant l'immense bâtiment. Une fourgonnette noire arriva à vive allure par Caxton Street, en sens interdit, face à l'entrée principale. Elle percuta la barrière de sécurité et une énorme explosion illumina aussitôt toute l'image, en silence.

J'entendis quelqu'un, devant, prendre la parole. C'était Martin.

— Notre ennemi est bien un terroriste, qui a de la

suite dans les idées. Il veut nous faire comprendre que nous sommes vulnérables. Je crois que le message est passé, n'est-ce pas ? Détail intéressant, l'attentat de ce matin a fait une seule victime, le conducteur du véhicule. Le Loup a peut-être des scrupules, qui sait ?

Du fond de la salle s'éleva une autre voix, que je ne reconnus pas aussitôt. C'était la mienne.

— Non, il n'a pas de scrupules. Il suit son plan, c'est tout.

65.

Je passai le reste de la journée à travailler à Scotland Yard, et décidai de dormir sur place. Une simple couchette ferait l'affaire.

Je me réveillai à 3 heures, et me remis aussitôt à l'ouvrage. Le nouvel ultimatum expirait à minuit, ce soir-là, et nul ne savait ce qui allait se passer.

Quelques heures plus tard, je me retrouvais coincé à l'arrière d'une fourgonnette de police banalisée, fonçant vers une propriété de Feltham, tout près de l'aéroport d'Heathrow. Martin Lodge et trois autres inspecteurs de la Metropolitan police étaient du voyage. On m'avait autorisé à porter une arme, à titre exceptionnel.

Lodge nous briefa pendant le trajet.

— Nos hommes et ceux de la Special Branch sont en position dans le secteur d'Heathrow. Nous avons mis la police de l'aéroport sur le coup. On a repéré un suspect armé d'un lance-missiles sur le toit d'une maison. La surveillance est en place. Nous ne voulons pas donner l'assaut, pour des raisons évidentes. Le Loup doit surveiller le coin, lui aussi.

— A-t-on des infos sur les occupants de la maison ? demanda l'un des collègues de Lodge.

— On ignore encore qui sont les locataires. La baraque appartient à un promoteur immobilier qui se trouve être pakistanais. Elle n'est qu'à quelques centaines de mètres des pistes d'Heathrow. Pas besoin de vous faire un dessin... (Il me regarda, l'air grave.) On est mal. Bel euphémisme, hein, Alex ?

— Je connais ça depuis que j'ai vu le Loup se manifester. Il aime faire souffrir.

— Et vous ne savez pas de qui il s'agit ? Vous ne savez pas ce qui le pousse à agir ?

— Il change régulièrement d'identité. Il ou elle, d'ailleurs. On a failli mettre la main dessus deux ou trois fois. Nous aurons peut-être un peu plus de chance cette fois-ci.

— Espérons que ça ne tardera pas.

Dès notre arrivée à Feltham, quelques minutes plus tard, nous rejoignîmes les hommes du SO19, l'unité spéciale chargée de l'intervention. Des moniteurs disposés dans plusieurs bâtiments proches du site permettaient de visionner les images tournées par une demi-douzaine de caméras télécommandées.

— C'est comme si nous étions au cinéma, maugréa Lodge après avoir vu quelques plans. Nous ne pouvons rien faire. Quel foutu bordel ! Nous ne sommes pas censés être ici, on nous a prévenus. Et il n'est pas question qu'on s'en aille...

Lodge avait la liste de tous les vols attendus ce matin-là. Plus d'une trentaine d'avions devaient se poser au cours de la prochaine heure. Des appareils en provenance d'Eindhoven, d'Édimbourg, d'Aberdeen, et le New York-Londres de British Airways. Il était question de fermer et Heathrow, et Gatwick, mais aucune décision n'avait été prise pour l'instant. Le long-courrier en provenance de New York devait se poser dans dix-neuf minutes.

Un policier pointa le doigt sur l'écran de notre moniteur.

— Il y a quelqu'un sur le toit ! Il est là !

Le toit était filmé sous deux angles différents. On vit apparaître un homme en tenue noire. Puis un deuxième individu émergea d'une trappe. Il tenait à la main un petit lance-missiles sol-air.

— Oh, putain ! lâcha quelqu'un.

Nous avions tous les nerfs à vif.

— Détournez immédiatement tous les vols ! aboya Lodge. Nous n'avons pas le choix. Est-ce que nos tireurs ont ces deux fumiers dans le viseur ?

Oui, le SO19 s'était chargé de couvrir le toit. Nous regardâmes les deux hommes se mettre en position. Il ne faisait pas de doute qu'ils se préparaient à descendre un avion. Et nous assistions à la scène, impuissants.

— Connards ! hurla Lodge à l'adresse des écrans. Plus d'avions pour vous ! Vous allez tirer sur quoi, maintenant, crétins ? Vous êtes contents ?

— On dirait des Arabes, commenta un autre flic. En tout cas, ils n'ont pas des gueules de Russes !

— Pas d'ordre de tir pour l'instant, fit l'un des collègues, écouteurs sur les oreilles. On attend toujours le feu vert.

— C'est quoi, ce merdier ? s'énerva Lodge. Il faut qu'on les neutralise. Vite !

Des coups de feu claquèrent. Le type au lance-missiles s'écroula. Il ne bougeait plus. Son complice s'effondra à son tour, visiblement touché en pleine tête, lui aussi.

— Qui a donné l'ordre de tirer ? fit Lodge. Je voudrais qu'on m'explique !

Quelques instants plus tard, nous apprenions, interloqués, que nos tireurs d'élite n'étaient pas en cause. Quelqu'un d'autre avait abattu les deux types sur le toit.

Nous nagions en plein délire...

66.

Jusqu'où allait entraîner ce scénario de plus en plus abracadabrant ? Il ne nous restait plus que quelques heures avant l'expiration du nouvel ultimatum, et personne ne savait ce qui se passait. Qu'en était-il au sommet de la hiérarchie ? Le Premier ministre anglais, le président des États-Unis, le chancelier allemand disposaient-ils d'éléments que nous ignorions ?

Voir les heures, les minutes s'écouler nous faisait l'effet d'un supplice. Nous ne pouvions rien faire, sinon prier pour que la rançon fût versée. Je repensais aux soldats américains en Irak. *Voilà ce que nous sommes : les observateurs de l'absurde.*

De retour à Londres, en fin d'après-midi, je m'offris le luxe d'une courte promenade dans les environs de l'abbaye de Westminster, un quartier chargé d'histoire. Il n'y avait pas beaucoup de circulation autour de Parliament Square, et je ne croisai que quelques piétons et de rares touristes. Les Londoniens semblaient tout ignorer de la menace qui planait sur leur ville.

J'appelai plusieurs fois chez moi, à Washington, sans obtenir de réponse. Nana s'était-elle finalement résolue à partir ? Les enfants, que je réussis à joindre chez tante Tia, dans le Maryland, n'avaient aucune idée de l'endroit où elle se trouvait. Un nouveau motif d'inquiétude, comme si j'en manquais...

Attendre, attendre encore et toujours, jusqu'à ce que les nerfs lâchent. Et à New York comme à Washington ou à Francfort, c'était la même chose. Aucun communiqué n'avait été diffusé, mais le bruit courait qu'aucune des sommes exigées ne serait versée. Les trois gouvernements refusaient sans doute de négocier. Comment céder au chantage des terroristes sans même se battre ?

Le délai qui nous avait été accordé expira. Nous étions en train de jouer à la roulette russe.

Il n'y eut pas d'attentats, cette nuit-là. Le Loup ne déclencha pas immédiatement les représailles. Il nous laissait mariner...

Après un autre coup de fil aux enfants, chez Tia, je parvins enfin à joindre Nana. Il ne s'était rien passé à Washington. Nana était simplement sortie se balader dans le quartier avec Kayla, me dit-elle. Tout allait bien. *Juste un petit tour dans le parc, hein, Nana ?*

Il était presque 5 heures du matin, à Londres, quand chacun partit se coucher. Réussirions-nous à trouver le sommeil ?

Je ne dormis que d'un œil pendant quelques heures, puis le téléphone sonna. Martin Lodge.

Je m'étais déjà redressé dans mon lit.

— Qu'y a-t-il ? Qu'est-ce qu'il a fait ?

67.

— Rien de nouveau, Alex, calmez-vous. Je suis en bas, dans le hall. Il ne s'est rien passé. Il bluffait peut-être. Espérons. Habillez-vous et venez prendre le petit-déjeuner chez nous. Je voudrais vous présenter ma famille. Ma femme aimerait faire votre connaissance. Une petite pause vous ferait du bien, Alex. Nous en sommes tous là.

Comment refuser, après tout ce que nous venions de vivre ? Une demi-heure plus tard, j'étais dans la Volvo de Martin. Il habitait à Battersea, de l'autre côté de la Tamise. Pendant le trajet, il m'expliqua ce qui m'attendait. Le petit-déjeuner, et la famille. Nous avions pris nos bipeurs, mais ni lui ni moi n'avions envie de parler du Loup et de ses ultimatums. Pour l'instant, tout du moins.

— Ma femme est d'origine tchèque – Klára Cerno-hosska, née à Prague – mais aujourd'hui, la voilà cent pour cent anglaise. Elle écoute Virgin, XFM et tous les émissions-débats de la BBC. Ce matin, pourtant, elle voulait absolument faire un petit-déjeuner tchèque. Elle a envie de vous épater. Vous allez adorer ça, Alex, j'en suis sûr.

Je n'en doutais pas. Sourire aux lèvres, Martin me décrivit le reste de la famille.

— Ma fille aînée s'appelle Hana. Devinez qui choisit les prénoms, chez nous ? Un petit indice pour vous mettre sur la voie : les enfants s'appellent Hana, Daniela et Jozef. Enfin, ce ne sont que des prénoms... Hana est obsédée par la mode, et elle n'a que quatorze ans. Dany joue au hockey sur gazon, juste à côté, dans le parc de Battersea, mais c'est aussi une passionnée de danse classique. Et Joe, le plus jeune, est dingue de foot, de skateboard et de Playstation. Voilà, en gros, vous savez tout. Au fait, je vous ai dit que ma femme nous avait préparé un petit-déjeuner tchèque ?

Quelques instants plus tard, nous étions arrivés. Les Lodge vivaient dans une maison proprette au charme très victorien : brique rouge, toit d'ardoises, grand jardin foisonnant de couleurs et bien entretenu.

Toute la famille m'attendait dans la salle à manger, où on était en train d'apporter les plats. Tout le monde, y compris Tigger, le chat, me fut présenté dans les règles. Je me sentis immédiatement chez moi, mais j'eus un petit pincement au cœur qui mit du temps à se dissiper : les miens me manquaient.

Klára, l'épouse de Martin, me décrivit tous les mets disposés sur la desserte.

— Alex, ça, ce sont les *koláče*, des pâtisseries fourrées au fromage blanc. Les *rohlíky*, petits pains. Le *turka*, du café turc. Les *párek*, deux sortes de saucisses, très bonnes, une spécialité de la maison.

Elle se tourna vers leur fille aînée, Hana, chez laquelle on retrouvait aussi bien la mère que le père. Grande, mince, beau visage, mais le nez busqué de Martin.

— Hana ?

Hana me demanda en souriant :

— Vos œufs, vous les voulez comment, monsieur ? Vous pouvez avoir des *vejce na měkko*, ou des *míchaná vejce*. Des *smažená vejce*, si vous préférez. Ou une *omeleta* ?

Je haussai les épaules.

— Disons *michaná vejce*.

— Excellent choix, me dit Klará. Prononciation parfaite. Notre hôte est un linguiste-né.

— Bien, mais qu'est-ce que c'est ? demandai-je. Ce que je viens de commander ?

— Des œufs brouillés, tout simplement, s'esclaffa Hana. Avec les *rohlíky* et les *párek*, ce sera parfait.

— Ah, oui, fis-je, les petits pains et les saucisses.

Les filles applaudirent ma prestation, et cette joyeuse ambiance se prolongea ainsi plus d'une heure, au cours de laquelle Klára me posa d'innombrables questions sur ma vie aux États-Unis et me parla des romans policiers américains qu'elle adorait. Elle avait également lu *Le Bouc Hémisphère*, récemment couronné par le célèbre prix Booker.

— Un livre très drôle, qui retranscrit bien la folie de votre pays, un peu comme Günter Grass l'avait fait pour l'Allemagne avec *Le Tambour*. Vous devriez le lire, Alex.

— La folie de mon pays, vous savez, je la vis au quotidien.

Ce n'est qu'à la fin du repas que les enfants m'avouèrent que les noms des plats cités étaient quasiment les seuls noms tchèques qu'ils connaissaient. Sur quoi ils débarrassèrent la table et entreprirent de faire la vaisselle.

— Oh, et il y a aussi *ty vejce jsou hnusny*, ajouta Jozef du haut de ses huit ans.

— J'ose à peine demander ce que ça veut dire.

— Eh bien, ça veut dire que les œufs étaient loupés !

68.

Dès que j'eus quitté Martin et Klára, l'angoisse reprit le dessus. Où frapperait le Loup, s'il décidait d'effectuer des représailles ? De retour à mon hôtel, je dormis encore quelques heures, puis décidai de faire une longue marche. J'en avais besoin.

Curieusement, alors que je me promenais dans Broadway, j'eus l'impression d'être suivi. Ce n'était pas de la paranoïa, j'en avais la conviction. Impossible de savoir qui me filait. Ou le type était très fort, ou j'avais besoin d'une remise à niveau. J'avais toutefois des excuses : n'étant pas sur mon territoire, je pouvais difficilement repérer un intrus dans le décor.

Je fis une courte halte à Scotland Yard. Toujours aucune nouvelle du Loup. Aucun attentat dans les villes menacées. Le calme avant la tempête ?

Au bout d'une bonne heure, après être allé jusqu'à Trafalgar Square en remontant Whitehall et en passant par le 10 Downing Street, je me sentais déjà mieux. En rentrant à l'hôtel, cependant, j'eus à nouveau le désagréable sentiment d'être surveillé, suivi. Et pourtant, je ne voyais personne.

Une fois dans ma chambre, je passai un coup de fil aux enfants, chez Tia. Puis j'appelai Nana, à la maison.

— C'est étonnamment calme, plaisanta-t-elle, mais je ne verrais pas d'inconvénients à ce qu'il y ait un peu plus de monde. Vous me manquez tous !

— Vous aussi, vous me manquez, répondis-je.

Je m'endormis tout habillé, et c'est la sonnerie du téléphone qui, une fois encore, me tira du lit. Je n'avais pas tiré les rideaux et il faisait nuit. 4 heures du matin ! J'avais manifestement du sommeil en retard.

— Alex Cross, fis-je.

— Alex, c'est Martin. Je pars de chez moi à l'instant. Il veut nous retrouver devant le Parlement, près de l'entrée des visiteurs. Je passe vous prendre ?

— Non, j'irai plus vite à pied. On se retrouve là-bas.

Devant le Parlement, à pareille heure ? Cela ne disait rien qui vaille.

Cinq minutes plus tard, j'étais de nouveau dans la rue. J'avais juste le temps de foncer vers l'abbaye de Westminster. Quel coup tordu le Loup nous préparait-il ? S'apprêtait-il à frapper les quatre villes menacées ? Plus rien, à ce stade, ne pouvait me surprendre.

— Bonjour, Alex. Vous ici ?

Un homme jaillit de l'ombre. Je ne l'avais pas vu. J'étais trop préoccupé, mal réveillé, sans doute.

Il avança, et c'est alors que je vis l'arme pointée sur mon cœur.

— Je devrais déjà avoir quitté le pays à l'heure qu'il est, mais j'avais encore une chose à faire. Te tuer. Et je voulais que tu puisses te rendre compte de ce qui t'arrive. Comme maintenant. Cet instant, j'en ai rêvé. Toi aussi, peut-être...

C'était Geoffrey Shafer, bouffi d'arrogance, toujours aussi sûr de lui.

Sans doute est-ce cette attitude qui me poussa à

me jeter sur lui, sans réfléchir. En attendant le coup de feu.

Il y eut bien une détonation, mais je ne sentis rien. Le tir avait dû être dévié. Je parvins à plaquer Shafer contre le mur du bâtiment, et le surprise mêlée de peur que je lus alors dans son regard décupla ma motivation.

Shafer avait lâché son arme. Un crochet sous la ceinture, dans le bas-ventre, avec un peu de chance, lui arracha un grognement de douleur. Je voulais qu'il souffre davantage, pour mille raisons. Je voulais le tuer, ici, en pleine rue. Un autre coup de poing lui enfonça l'estomac sans rencontrer beaucoup de résistance. Une manchette à la tempe, suivie d'un gauche à la mâchoire, ne suffit pas à le faire tomber. Je l'avais sérieusement touché, pourtant.

— Tu n'as pas mieux que ça, Cross ? ricana-t-il. Tiens, j'ai une surprise pour toi.

Un couteau à cran d'arrêt se matérialisa soudain dans sa main. Instinctivement, je fis un pas de côté, mais comprenant que mes coups avaient affaibli mon adversaire et qu'il fallait que je saisisse ma chance, je revins à la charge. Je sentis le nez de Shafer se casser sous mon poing ! Mais ce salopard, toujours debout, réussit à me lacérer le bras. Il fallait vraiment que je sois fou. J'avais de la chance d'être encore en vie...

Puis, enfin, je pus dégainer le pistolet que m'avaient prêté mes collègues britanniques. Je le portais dans un holster de ceinture, dans le dos.

Shafer se jeta sur moi. Il n'avait peut-être rien vu, s'imaginait sans doute qu'étant à Londres, je ne pouvais porter une arme sur moi.

J'eus juste le temps de hurler : « Non ! »

Touché au thorax, presque à bout portant, plaqué

contre le mur par la force de l'impact, il glissa lentement à terre.

Les traits déformés, médusé, il était peut-être en train de comprendre qu'il était mortel, comme tout le monde. Il marmonna deux, trois mots :

— Fumier, Cross. Sale con.

Je me penchai sur lui.

— Où se trouve le Loup ? Où est-il ?

— Va te faire foutre.

Et il mourut.

69.

London Bridge is falling down, falling down, falling down. Le pont de Londres s'écroule, comme dans la comptine...

Quelques minutes après la mort de son vieux copain de régiment, le Furet, dans les rues de Londres, Henry Seymour prit le volant d'un fourgon blanc vieux de onze ans. Il n'avait pas peur de la mort. Loin de là. Il lui tendait les bras.

Il était à peine plus de 4 h 30, mais malgré cela il y avait déjà beaucoup de circulation sur le pont de Westminster. Seymour le traversa, se gara dès qu'il le put et revint à pied. Il s'accouda au parapet et regarda vers l'ouest. Il ne se lassait pas de contempler Big Ben et le Parlement. Enfant, déjà, il venait souvent ici, quand ils habitaient Manchester et que ses parents l'emmenaient visiter Londres.

Aucun détail ne lui échappait. De l'autre côté de la Tamise, aussi sombre que le ciel, il apercevait l'Œil de Londres, cette horreur qui avait survécu à l'Exposition universelle. L'air fleurait l'iode et le poisson. Des bus de tourisme couleur prune, sagement alignés non loin du pont, attendaient leurs premiers passagers.

Qui ne viendront pas. Pas aujourd'hui, qui n'est

pas un jour comme les autres. Pas si le vieil Henry réussit son coup, se dit-il.

De cette vue depuis le pont de Westminster, Wordsworth – c'était bien lui, n'est-ce pas ? – avait écrit : « La Terre n'a rien de plus beau à offrir. » Henry Seymour n'avait jamais oublié cette phrase, lui qui se fichait pas mal, pourtant, des poètes et de leurs états d'âme.

Un poème sur cette merde. Quelqu'un devrait plutôt écrire un poème sur moi. Sur ce pont, ce pauvre Henry Seymour et tous les autres pauvres connards qui sont là ce matin, pensa-t-il.

Il alla chercher le fourgon.

À 5 h 34, le pont parut s'enflammer en son centre. En fait, ce fut le véhicule d'Henry Seymour qui explosa. La chaussée se souleva et s'éventra, les piliers basculèrent, les lampadaires aux triples globes s'envolèrent comme des fleurs arrachées par un vent d'une force inimaginable. Un silence de mort succéda à la déflagration, tandis que l'esprit de Seymour s'échappait des lambeaux de sa dépouille. Puis tout Londres retentit du chant lugubre des sirènes de police.

Le Loup appela alors Scotland Yard pour revendiquer son œuvre.

— Contrairement à vous, je tiens mes promesses. J'ai tenté d'établir des ponts entre nous, mais vous les détruisez chaque fois. Me comprenez-vous ? Allez-vous finir par me comprendre ? Le pont de Londres n'est plus... et ce n'est que le début. Il serait dommage de mettre un terme à de telles réjouissances ; je veux que la fête ne s'arrête jamais.

Ma revanche.

IV

PARIS, SCÈNE DU CRIME

70.

Le Loup connaissait bien ce circuit situé à une soixantaine de kilomètres au sud de Paris. Aujourd'hui, il allait y piloter une voiture de course, un prototype. Et quelqu'un l'accompagnait.

L'homme qui marchait à ses côtés était un ancien agent du KGB qui avait géré ses affaires en France et en Espagne durant de longues années. Il s'appelait Ilya Frolov. Il avait déjà vu le Loup, et il était toujours en vie. Un rare privilège qu'il appréciait à sa juste valeur, mais qui lui inspirait malgré tout une certaine appréhension.

— Elle est vraiment magnifique ! s'exclama le Loup.

Devant eux, une Fabcar rouge à moteur Porsche. Ce prototype avait participé à la Rolex Sports Car Series.

— Tu les aimes, tes voitures, dit Ilya. C'est une vraie passion, hein ?

— Moi qui ai passé toute ma jeunesse près de Moscou, j'ai longtemps cru que jamais je ne serais propriétaire d'une voiture. Aujourd'hui, j'en possède tellement qu'il m'arrive de ne pas savoir exactement ce que j'ai dans mon parc. Je voudrais t'emmener faire un tour de piste. Monte, mon ami.

Ilya Frolov leva les mains en signe de protestation.

— Ah, non, pas moi. Je n'aime pas le bruit, la vitesse, tout ça.

— J'insiste, rétorqua le Loup en ouvrant la portière en aile de papillon, côté passager. Installe-toi, elle ne va pas te mordre. Tu te souviendra toute ta vie de ce petit tour.

Il émit un rire forcé, puis il toussota.

— C'est bien ce qui me fait peur.

— Après, il faut que je te parle des prochaines étapes. Nous n'allons pas tarder à récupérer notre argent. Ils faiblissent de jour en jour, et j'ai un plan. Tu vas être un homme riche, Ilya.

Le Loup s'installa derrière le volant, qui était placé à droite. Il actionna un interrupteur, le tableau de bord s'illumina, le bolide rugit et se mit à vibrer. Le Loup vit Ilya pâlir, ce qui l'amusa beaucoup. Finalement, il l'aimait bien, ce type...

— On est directement assis sur le moteur, et il va faire très chaud, à l'intérieur. Plus de cinquante degrés. C'est pour cela que nous portons des combinaisons isothermes. Ça va devenir également très bruyant. Mets ton casque, Ilya. Dernier avertissement.

Et ils démarrèrent en trombe.

Le Loup ne connaissait rien de plus grisant que la puissance quasiment animale d'une grande voiture de course. La vitesse l'obligeait à se concentrer sur la conduite. La piste, le volant, les compteurs. Le reste n'existait plus. Seule comptait cette inimaginable puissance : du bruit – puisqu'il n'y avait dans ce véhicule aucun matériau insonorisant –, des vibrations – une suspension sèche augmentait la précision du pilotage – et, dans certaines courbes, une pression terrible qui lui écrasait le corps.

Quelle fantastique machine ! Celui-ci qui avait conçu une voiture aussi parfaite était un génie.

Heureusement, nous sommes encore quelques-uns. Je suis bien placé pour le savoir, pensa-t-il.

Il ralentit enfin et quitta la piste. Il s'extrait de la voiture, retira son casque, secoua ses cheveux et hurla à l'adresse du ciel :

— Quel pied ! Voilà ce que j'appelle des sensations ! C'est encore meilleur que baiser ! J'ai essayé je ne sais combien de femmes et je ne sais combien de voitures, mais je préfère m'éclater sur un circuit !

Il regarda Ilya Frolov qui tremblait un peu, le visage encore blême. Pauvre Ilya.

— Je suis navré, mon ami, lui dit à mi-voix le Loup. Je crois que tu n'as pas les épaules assez larges pour participer aux essais suivants. Qui plus est, tu sais, toi, ce qui s'est passé à Paris.

Le Loup exécuta son ami sur la piste, puis il s'éloigna, sans même se retourner. Les morts ne l'intéressaient pas.

71.

L'après-midi même, le Loup se rendit dans une ferme à une cinquantaine de kilomètres du circuit, au sud-est. Arrivé le premier, il s'installa dans la cuisine, sans allumer la lumière. On se serait cru dans un sépulcre. Artur Nikitin vint seul, comme on le lui avait demandé. Ancien agent du KGB, lui aussi, il s'était toujours montré loyal soldat. Il travaillait pour Ilya Frolov, et le trafic d'armes constituait sa principale activité.

Le Loup l'entendit gravir les marches du perron donnant sur la cour.

— Il n'y a pas de lumière, lui cria-t-il. Entre.

Artur Nikitin ouvrit la porte et entra. Grand et massif, il arborait une grosse barbe blanche et ressemblait un peu, physiquement, au Loup.

— Voilà une chaise. Assieds-toi. Je t'en prie. Tu es mon hôte.

Nikitin obtempéra. Aucune appréhension ne se lisait sur son visage. Et, à dire vrai, la mort ne lui faisait pas peur.

— En ce qui me concerne, tu as toujours fait du bon travail. Cette mission sera notre dernière collaboration. Tu vas gagner suffisamment d'argent pour prendre ta retraite, et faire ce que tu as envie de faire. Pas mal, non ?

— Cela me paraît très bien. Je ferai tout ce que tu me demanderas de faire. C'est le secret de mon succès.

— Paris est une ville à part, pour moi, reprit le Loup. J'y ai vécu deux ans, dans une autre vie. Et si je suis de nouveau ici aujourd'hui, ce n'est pas une coïncidence. J'ai besoin de ton aide, ici, Artur. J'ai surtout besoin de ta fidélité. Puis-je compter sur toi ?

— Bien entendu. Sans le moindre doute. Je suis venu, non ?

— J'ai l'intention de faire exploser à Paris un engin qui creusera un énorme trou, de faire beaucoup d'autres dégâts, puis de devenir immensément riche. Puis-je toujours compter sur toi ?

Un large sourire barrait le visage de Nikitin.

— Absolument. De toute façon, je n'aime pas les Français. Qui les aime, les Français ? Ce sera un plaisir. Et le côté immensément riche ne me déplaît pas du tout.

Le Loup avait trouvé l'homme qui lui fallait. Il lui communiqua donc sa pièce du puzzle.

72.

Deux jours après l'attentat qui avait détruit le pont de Westminster, je repris l'avion pour Washington. Le vol me parut interminable, mais ces longues heures me permirent d'enrichir ma collection de notes. Quelle surprise nous réservait à présent le Loup ? Frapperait-il encore d'autres villes jusqu'à l'obtention de la rançon réclamée ? Pourquoi avait-il décidé de s'en prendre à des ponts ?

Un seul point me paraissait évident : le Loup ne se volatiliserait pas du jour au lendemain dans la nature, en nous laissant dans l'expectative.

Un message émanant du bureau de Burns me parvint avant même l'atterrissage à Washington. Je devais rejoindre le QG dès mon arrivée.

Mais au lieu de me rendre au siège du FBI, je choisis de rentrer chez moi. Poliment et fermement, sans la moindre hésitation, je déclinai la requête de mon employeur. Le Loup serait toujours là le lendemain...

Les enfants, Nana, Tia, tout le monde était là, et nous allions passer une merveilleuse soirée ensemble, dans la maison où Nana était née. Demain matin, Damon et Jannie retourneraient avec leur tante dans le Maryland. Nana resterait sur place, comme moi. Nous avions peut-être plus de points communs que je ne voulais l'admettre.

Vers 23 heures, on frappa à la porte. J'étais en train de jouer du piano sur la terrasse. J'ouvris. C'était Ron Burns, avec deux des ses hommes. Il leur demanda d'attendre près de la voiture, et s'invita chez moi.

— Il faut que je vous parle. Tout a changé.

Nous nous assîmes sur la terrasse. Plus question de pianoter.

Il me parla d'abord de Thomas Weir.

— Nous avons la certitude que Tom a eu des contacts avec le Loup, d'une manière ou d'une autre, lorsque celui-ci a quitté la Russie. Il connaissait peut-être son identité. Nous progressons, Alex, et la CIA aussi, mais nous avons du mal à compléter le puzzle.

— Enfin, je constate avec plaisir que tout le monde coopère avec tout le monde, maugréai-je.

— Je sais que vous en avez bavé, je sais que pour vous, ce n'est pas le job idéal. Vous voulez être au cœur de l'action, mais vous voulez aussi rester en famille.

Je pouvais difficilement le contredire.

— Il s'est passé quelque chose en France, Alex. Un événement impliquant Tom Weir et le Loup, il y a longtemps. Une erreur a été commise. Une grosse erreur.

— Quelle erreur ? Arrêtez de tourner autour du pot, arrêtez de me manipuler. Pourquoi croyez-vous que je songe parfois à démissionner ?

— Je vous assure que nous ignorons ce qui s'est vraiment passé. Nous sommes en voie de trouver la réponse. Ces dernières heures ont été riches en rebondissements, Alex. Le Loup a repris contact.

Seul un soupir sortit de ma bouche. J'avais promis d'écouter.

— Comme vous l'avez déjà dit, Alex, il veut nous faire souffrir, nous casser les reins s'il le peut. Il prétend pouvoir le faire. Il dit que les règles ont changé, parce qu'il l'a décidé. Lui seul a la clé de l'énigme, mais vous seul, Alex, possédez des indices...

Cette fois-ci, je l'interrompis :

— Ron, qu'essayez-vous de me dire ? Dites-le-moi franchement. Ou je suis dans le coup, jusqu'au bout, ou je suis hors du coup.

— Il nous a donné quatre-vingt-seize heures. Et nous a promis un scénario apocalyptique.

» Les cibles ne sont plus les mêmes. Toujours Washington et Londres, mais Tel-Aviv et Paris ont remplacé New York et Francfort. Pourquoi ? Il refuse de nous le dire. Il réclame quatre milliards de dollars et la libération des prisonniers politiques. Il ne nous donne aucune explication.

— C'est tout ? Il veut raser quatre villes ? Il faut qu'on lui verse quelques milliards et qu'on relâche une poignée d'assassins ?

— Non, ce n'est pas tout. Cette fois-ci, il a tout balancé à la presse. Ça va être la panique générale, surtout dans les quatre villes concernées. Il a annoncé ses intentions à la planète entière.

73.

Le dimanche matin, après avoir pris le petit-déjeuner avec Nana, je sautai de nouveau dans un taxi, direction l'aéroport. Ron Burns voulait que j'aille en France. Fin de la discussion.

Épuisé, sans doute déprimé, je dormis pendant une bonne partie du vol avant d'étudier un dossier de la CIA sur un ex-agent du KGB qui, en poste à Paris onze ans plus tôt, avait peut-être travaillé avec Thomas Weir. On pouvait imaginer que cet agent était le Loup. Et il s'était passé quelque chose. Une « erreur ». Une grosse erreur, apparemment.

Je ne savais pas trop quel accueil me réserve-raient les Français, compte tenu des différends ayant opposé nos deux pays ces dernières années, mais dès mon arrivée, tout se passa plutôt bien. J'eus même le sentiment que le centre de commandement de Paris fonctionnait mieux que ceux de Washington et de Londres. Pour quelle raison ? Cela sautait aux yeux.

L'infrastructure parisienne était plus simple, l'organisation bien plus réduite. Un responsable me confia : « Ici, les infos circulent facilement, car quand on a besoin d'un dossier, il suffit d'aller le demander dans le bureau d'à côté ou le suivant. »

Après un court briefing, on m'invita à participer à

une réunion à laquelle participaient les plus hauts gradés. Un général de l'armée de terre française s'adressa à moi en anglais :

— Dr Cross, pour être tout à fait franc avec vous, nous n'excluons pas la possibilité que ces attaques soient liées au Djihad, autrement dit au terrorisme islamique. Croyez-moi, ces types-là sont suffisamment rusés pour mettre au point un scénario aussi tordu. Suffisamment fourbes pour avoir inventé le Loup de toutes pièces. Cela expliquerait qu'ils exigent la libération de leurs prisonniers, qu'en pensez-vous ?

Je ne répondis rien. Que dire ? Al-Qaida aurait été derrière tous ces attentats ? Le Loup serait leur créature ? M'avait-on fait venir parce que les Français privilégiaient cette hypothèse ?

— Comme vous le savez, reprit-il, nos deux pays ne partagent pas la même perspective sur le lien entre les réseaux terroristes islamistes et la situation au Moyen-Orient. Nous avons la conviction que le Djihad n'est pas, en fait, une guerre contre les valeurs de l'Occident, mais qu'il entre dans le cadre d'une lutte complexe contre les dirigeants arabes qui refusent d'instaurer un islam radical dans leurs pays.

— Et pourtant, les quatre pays les plus menacés par les réseaux terroristes fondamentalistes sont les États-Unis, Israël, la France et la Grande-Bretagne, fis-je remarquer. Et quelles sont les cibles de celui qui se fait appeler le Loup ? Washington, Tel-Aviv, Paris et Londres...

— Méfiez-vous des apparences. En outre, vous devriez savoir que d'anciens officiers du KGB ont joué un rôle de première importance auprès de Saddam Hussein, avant sa chute.

J'acquiesçai.

— Je n'exclus aucune piste, mais je dois vous dire

que, dans cette affaire, rien ne démontre l'implication des groupes radicaux islamistes. J'ai déjà eu affaire au Loup par le passé et, croyez-moi, il n'adhère pas aux valeurs de l'islam. Ce n'est pas un homme de foi.

74.

Ce soir-là, je dînai seul à Paris. Je fis d'abord un petit tour pour mesurer l'atmosphère qui régnait dans la capitale. On voyait des soldats lourdement armés à chaque coin de rue, des jeeps, des blindés. L'inquiétude se lisait sur le visage des rares Parisiens à s'aventurer dehors.

Je réussis à trouver un restaurant ouvert, Les Olivades, avenue de Ségur. Le charme décontracté de cette adresse, et de sa clientèle, me convenait parfaitement. Peut-être allais-je pouvoir oublier, quelques instants durant, la fatigue du décalage horaire, mes soucis, et ce climat d'état de siège.

Après le repas, je décidai de marcher encore un peu.

Le Loup a abattu Weir pour une raison bien précise, pensai-je. Et il n'a pas choisi Paris par hasard ? Quelle est sa stratégie ? Et pourquoi avoir fait sauter ces ponts ? Y voit-il un symbole ?

Ce fut une triste et étrange promenade. La ville pouvait être frappée à tout instant. J'étais ici pour tenter d'empêcher le drame, mais nous n'avions toujours pas le moindre début de piste, nous ignorions l'identité du Loup, nous n'étions même pas capables de déterminer quel était le pays qui l'abritait actuellement.

Le Loup avait vécu en France onze ans plus tôt, et un événement grave s'était produit à cette époque, un événement qui avait dû le marquer. Lequel ?

Je me trouvais dans l'un des plus beaux quartiers de Paris : grandes avenues taillées au cordeau, larges trottoirs, immeubles haussmanniens. Quelques voitures circulaient. Des habitants désertant la capitale ? Et au moment où chacun s'y attendrait le moins, boum ! Bye, bye.

Le plus terrifiant, c'était qu'un épilogue dramatique semblait inévitable. Et cette fois, il ne s'agirait pas que d'un pont.

Il nous avait bien piégés. Il nous manipulait à sa guise. Comment retourner la situation ?

De retour à l'hôtel, je passai un coup de fil aux enfants. Il était 18 heures dans le Maryland, et tante Tia devait être en train de préparer le dîner, seule, évidemment, puisque ces petits monstres étaient toujours trop occupés pour mettre la main à la pâte. Ce fut Jannie qui décrocha.

— *Bonsoir, monsieur* Cross.

Le tout en français. Elle devait être médium...

Elle m'avait réservé une demi-douzaine de questions. Entre-temps, Damon s'était emparé de l'écouteur, et j'eus droit à un interrogatoire en règle. Je pense que, pour eux, c'était une manière de détendre l'atmosphère, car nous étions tous anxieux.

Avais-je visité Notre Dame ? Avais-je croisé Quasimodo (ha, ha) ? Avais-je vu les célèbres gargouilles, comme celles qui s'entredévoraient au cinéma ?

Je parvins tout juste à glisser deux phrases.

— Je n'ai pas eu le temps de monter jusqu'à la galerie des chimères. Je suis ici pour travailler.

— On le sait, ça, papa, rétorqua Jannie. On voulait

juste te faire penser à autre chose qu'à tes soucis. Tu nous manques, tu sais.

— Tu me manques, papa, répéta Damon.

— *Je t'aime*, murmura Jannie en français.

Quelques minutes plus tard, j'étais seul dans ma chambre d'hôtel, au bout du monde, dans une ville menacée de mort.

Je t'aime aussi.

75.

L'heure tournait, et le tic-tac de l'horloge devenait assourdissant. Ou bien était-ce mon crâne, sur le point d'exploser ?

Le lendemain, en début de matinée, on m'affecta un équipier. C'était un enquêteur de la police nationale du nom d'Étienne Marteau, un type sec, pas très grand. Je le trouvais coopératif et il paraissait compétent, mais j'eus très vite la désagréable impression qu'on lui avait surtout demandé de me surveiller. Oui, manifestement, il avait reçu des consignes. C'était débile, contre-productif, et je sentais que je n'allais pas tarder à péter les plombs.

En fin d'après-midi, je pris contact avec le bureau de Ron Burns. Je voulais rentrer chez moi, mais ma requête fut immédiatement rejetée par Tony Woods, qui ne daigna même pas en informer son patron, mais se permit de me rappeler que Thomas Weir et le Loup s'étaient sans doute rencontrés à Paris.

— Merci, Tony, mais je le savais déjà.

Je raccrochai.

Pour me plonger aussitôt dans les archives de la police nationale française, à la recherche de tout ce qui aurait pu me permettre d'établir un lien entre le Loup et Thomas Weir, ou même la CIA. Sans négliger la piste du terrorisme islamique...

Le lieutenant Marteau faisait ce qu'il pouvait pour m'aider, mais il travaillait avec une lenteur désespérante, et multipliait les pauses café-cigarettes. Nous n'avancions pas, et j'avais de plus en plus le sentiment de dépenser mon énergie en pure perte. Et comme si cela ne suffisait pas, un méchant mal de crâne s'annonçait.

Vers 18 heures, je pris part à une nouvelle réunion de crise. Toujours la course contre la montre. Je finis par apprendre que le Loup allait nous contacter. L'atmosphère était lourde : nous nous savions tous manipulés, insultés. L'ambiance ne devait pas être beaucoup plus joyeuse à Londres, à Washington et à Tel-Aviv.

Soudain, la voix déformée, obscène et malheureusement déjà familière, jaillit des haut-parleurs. Elle suintait la dérision.

— Désolé de vous avoir fait attendre, mais on m'a moi-même fait attendre, n'est-ce pas ? Je sais, je sais, c'est parce qu'il est inacceptable, pour tous les chefs d'État concernés, de créer un tel précédent, de perdre ainsi la face. Je comprends parfaitement.

» Cela dit, il faut que vous compreniez, vous aussi, que cet ultimatum ne sera pas repoussé. Je vais faire une concession. Si cela peut vous mettre du baume au cœur, essayez de me trouver. Menez vos investigations au grand jour. Attrapez-moi si vous le pouvez.

» Mais sachez une chose, bande de salopards, et retenez-la bien : cette fois-ci, l'argent devra être versé dans les temps. En intégralité. Les prisonniers de guerre devront être libérés. Tous. L'ultimatum ne sera pas repoussé, et quand je parle d'ultimatum, je pèse mes mots. Si vous avez ne serait-ce que quelques minutes de retard, il y aura des dizaines de milliers de meurtres dans chacune des quatre villes. Vous m'avez bien entendu, j'ai parlé de « meurtres ». Croyez-moi, je n'hésiterai pas à appuyer sur le bouton. Je vais semer la mort d'une manière peu commune. Notamment à Paris. *Au revoir, mes amis.*

76.

Dans la soirée, on nous informa qu'il y avait du nouveau. Le moindre indice pouvait se révéler d'une importance vitale, et Étienne Marteau pensait comme moi que ces éléments allaient peut-être nous mettre sur une piste sérieuse.

La police française avait intercepté les appels d'un trafiquant d'armes marseillais. Sa spécialité : le matériel de l'ex-Armée rouge. Il en circulait dans toute l'Europe, et notamment en Allemagne, en France et en Italie. Cet homme avait déjà vendu des armes de contrebande à des groupes islamistes radicaux.

On nous donna la transcription d'une conversation téléphonique entre le trafiquant et un terroriste soupçonné d'entretenir des liens avec Al-Qaida. L'échange était codé, mais la police française avait réussi à le décrypter en grande partie.

TRAFIQUANT : *Cousin, comment vont les affaires en ce moment ? (Es-tu prêt à faire le boulot ?) Tu viens me voir bientôt ? (Peux-tu te déplacer ?)*

TERRORISTE : *Oh, tu sais, j'ai une femme et trop de gosses. C'est quelquefois compliqué. (Il a une équipe importante.)*

TRAFIQUANT : *Je te l'ai déjà dit, viens donc avec ta*

*femme et tes gosses. Tu devrais venir maintenant.
(Ramène toute l'équipe dès que possible.)*

TERRORISTE : *On est tous très fatigués. (On nous
surveille.)*

TRAFIQUANT : *Tout le monde est fatigué. Mais ici,
vous allez adorer. (Vous ne risquez rien.) Je t'assure.*

TERRORISTE : *Bon, d'accord, je vais commencer à
rassembler ma petite famille.*

TRAFIQUANT : *J'ai préparé ma collection de
timbres, tu pourras la voir. (Sans doute des armes
tactiques.)*

— Par « collection de timbres », me dit Étienne,
nous pensons qu'il entend « des armes », mais nous
ignorons de quelles armes il peut s'agir. Il faut s'attendre
au pire.

— Va-t-on les intercepter maintenant ? lui
demandai-je. Ou bien les laisser entrer en France et les
filer ?

— Je crois que l'idée, c'est de les laisser entrer en
espérant qu'ils nous conduiront à leurs commanditaires.
Tout va très vite et on navigue à vue.

— Peut-être un peu trop, fis-je.

— Nos méthodes diffèrent des vôtres. Essayez de
l'admettre, à défaut de comprendre.

— Étienne, je ne pense pas qu'ici, sur le terrain, ils
aient le moindre contact avec leurs commanditaires. Le
Loup ne travaille pas comme ça. Il distribue les rôles,
mais il est le seul à connaître le scénario.

L'inspecteur français me dévisagea.

— Je transmettrai.

J'étais prêt à parier qu'il n'en ferait rien. Une pensée
cruelle me traversa l'esprit : « Ici, je suis totalement livré
à moi-même. Je suis le Méchant Américain. »

77.

De retour à l'hôtel vers 2 heures du matin, j'eus tout juste le temps de dormir un peu. J'étais déjà debout à 6 h 30. Pas de répit pour les justes, ni pour les ridicules. Le Loup ne nous laissait pas le temps de souffler. Il nous voulait stressés, affolés, en situation de commettre des erreurs.

J'avais rendez-vous au ministère de l'Intérieur. Je m'y rendis presque machinalement, en gambergeant. Que se passait-il dans l'esprit retors du Loup ? D'après le peu que nous savions, l'ancien agent du KGB était devenu un gros bonnet de la mafia russe aux États-Unis, mais il avait également séjourné en Grande-Bretagne et en France. Il opérait si habilement que nous ignorions toujours son identité, sans même disposer du moindre nom, et que nous n'avions pas encore réussi à retracer la totalité de son parcours.

Il voyait les choses en grand, mais pourquoi se serait-il associé à des groupes islamistes armés ? Une alliance entre le Loup et Al-Qaida, depuis le début ? Une hypothèse aussi terrifiante qu'invraisemblable, pour ne pas dire absurde. Mais l'absurde s'invitait si souvent, désormais, dans l'actualité...

Quelque chose pénétra soudain dans mon champ de vision.

Une moto noir et argent fonçait vers moi, sur le trottoir ! Je bondis sur la chaussée, bras écartés, prêt à sauter à droite ou à gauche pour éviter la trajectoire de l'engin.

Puis je me rendis compte que j'étais le seul piéton à s'affoler, et je souris. Étienne m'avait expliqué que les motos de grosse cylindrée étaient très nombreuses dans la capitale et que, pour contourner les obstacles, leurs conducteurs circulaient fréquemment sur les trottoirs.

Le motard, veston bleu et pantalon beige, n'était qu'un type qui allait au bureau, pas un tueur. Il me frôla sans me regarder. J'étais en train de perdre la boule. Comment garder la tête froide, dans de telles circonstances ?

Vers 8 h 45, j'étais place Beauvau, au ministère de l'Intérieur, à la porte d'une salle remplie de policiers et de militaires de haut rang.

Nous n'avions plus que trente-six heures devant nous.

Curieux décor. L'équipement technologique dernier cri contrastait étrangement avec les meubles et les tapisseries XVIIIe. Aux murs, des écrans plats nous montraient Londres, Paris, Washington et Tel-Aviv. Dans les rues presque désertes patrouillaient des soldats et des policiers lourdement armés.

Nous sommes en guerre, en guerre contre un fou.

On m'avait dit que je pouvais m'exprimer en anglais, à condition de le faire lentement, en détachant bien les syllabes. Sans doute les Français craignaient-ils que j'utilise un argot des rues qui leur aurait été inintelligible.

— Je m'appelle Alex Cross. J'ai une formation de psychologue. Ancien inspecteur de la brigade criminelle de Washington, je suis devenu agent du FBI. Il y a un peu moins d'un an, j'ai travaillé sur une affaire dans laquelle était impliquée la mafia russe. J'ai eu notamment à enquêter sur un ex-agent du KGB dont nous ne connaissions que le pseudonyme, le Loup. Et ce matin, je vais vous parler du Loup.

Le reste, j'aurais pu le faire les yeux fermés, je connaissais mon laïus par cœur. Vingt minutes durant, il ne fut question que du Loup. Mais quand j'eus terminé et qu'on en vint aux questions, je compris que, si les Français étaient tout disposés à m'écouter, ils restaient fermement convaincus que les terroristes islamistes étaient à l'origine de la menace et que le Loup appartenait à Al-Qaida ou, tout du moins, travaillait avec la nébuleuse fondamentaliste.

Je voulais bien envisager toutes les hypothèses, mais celle-ci me paraissait invraisemblable. Le Loup, pour moi, était un mafieux russe.

Vers 11 heures, je réintégrai mon petit bureau. Et découvris que j'avais une nouvelle coéquipière.

78.

Une nouvelle coéquipière, maintenant ?

Tout allait si vite que je ne suivais plus. J'en conclus que le FBI avait dû donner quelques coups de fil stratégiques. Ma partenaire, Maud Boulard, s'empressa de m'informer que nous travaillerions « à la française ». Restait à savoir ce qu'elle entendait par là.

Avec son nez aquilin et ses traits secs, elle me rappelait un peu Étienne Marteau, mais elle avait de beaux cheveux roux... Sans que je lui demande rien, elle me confia qu'elle était déjà allée à New York et à Los Angeles, et qu'elle n'avait aimé ni l'un, ni l'autre.

— Le temps presse, lui rappelai-je.

— Je sais, Dr Cross. Nous ne le savons tous. Il faut travailler intelligemment, pas dans la précipitation.

Notre « mission de surveillance de la mafia russe » commença autour du parc Monceau, dans le VIIIᵉ arrondissement de Paris. Alors qu'aux États-Unis, le milieu russe s'était regroupé dans des quartiers populaires tels que Brighton Beach, à New York, ici, il semblait afficher une certaine aisance.

— Parce qu'ils connaissent mieux Paris et qu'ils y opèrent depuis plus longtemps, suggéra Maud. C'est ce que je pense, en tout cas. Les truands russes, je les connais depuis des années. Et je vous signale qu'ils ne croient pas à votre Loup. J'ai interrogé du monde, je vous assure.

Ce que nous fîmes durant plus d'une heure. Nous questionnions toutes les petites frappes que Maud connaissait, nous leur parlions du Loup. Il faisait un temps magnifique, le ciel était d'un bleu limpide, et je perdais visiblement mon temps. Je n'en pouvais plus.

Vers 13 h 30, Maud lança joyeusement :

— Et si on allait déjeuner ? Avec les Russes, bien entendu. Je connais un endroit parfait.

Elle m'emmena dans ce qui était, selon elle, « le plus vieux restaurant russe de Paris », le Daru. La salle lambrissée de pin évoquait la datcha d'un riche Moscovite.

J'étais furieux, mais je m'efforçais de ne rien laisser paraître. Déjeuner assis, pendant des heures, était un luxe que nous ne pouvions pas nous permettre.

Et nous déjeunâmes tout de même. J'aurais volontiers étranglé ma coéquipière, ou le serveur mille fois trop obséquieux, n'importe qui. Maud, elle, ne se rendait compte de rien. Quel flair, pour une enquêtrice !

Vers la fin du repas, je m'aperçus qu'à une table voisine deux hommes nous regardaient, ou reluquaient peut-être Maud, qui ne passait pas inaperçue avec sa crinière rousse.

La Française balaya mon observation d'un haussement d'épaules.

— Les mecs sont comme ça, à Paris. Des vrais porcs.

Lorsque nous sortîmes du restaurant, elle ajouta :

— Voyons s'ils nous suivent. Cela m'étonnerait. Je ne les connais pas et moi, ici, je connais tout le monde. Sauf votre Loup, évidemment.

— Ils partent aussi, lui dis-je. Ils sont juste derrière nous.

— Il n'y a qu'une entrée, ils sont bien obligés de passer par là.

La petite rue Daru débouchait dans la rue du Faubourg-Saint-Honoré où, m'expliqua Maud, les boutiques de luxe se succédaient jusqu'à la place Vendôme. Nous nous apprêtions à traverser quand une limousine blanche, une Lincoln, s'arrêta à notre hauteur.

La portière arrière s'ouvrit, et un homme à la barbe noire nous dit en anglais, avec un fort accent russe :

— Montez. Pas d'histoires. Dépêchez-vous, je ne plaisante pas.

— Non, nous ne monterons pas dans votre voiture, rétorqua Maud. Vous n'avez qu'à descendre et nous dire ce que vous voulez. Qui êtes-vous ? Pour qui vous prenez-vous ?

L'homme dégaina une arme et tira deux coups de feu. Je n'en croyais pas mes yeux. Ici, en plein Paris !

Maud Boulard gisait sur le trottoir, sans vie. Du sang s'écoulait doucement de l'horrible blessure qui lui ouvrait le front. Ses cheveux roux balayaient le sol, et ses yeux écarquillés fixaient le ciel d'azur. Dans sa chute, elle avait projeté l'un de ses escarpins au milieu de la chaussée.

— Montez, Dr Cross, fit le Russe en pointant son pistolet sur ma tête. Je ne vous le répéterai pas. J'en ai assez, d'être poli. Montez, ou je vous abats d'une balle en pleine tête, vous aussi. Et ce sera un plaisir.

79.

— C'est l'heure de la leçon de choses, me dit le Russe une fois que je l'eus rejoint au fond de la limousine. N'est-ce pas ce qu'on disait autrefois à l'école ? Vous avez deux enfants d'âge scolaire, je crois bien ? Je vais donc vous montrer des choses qui sont importantes, et je vais vous expliquer ce qu'elles signifient. J'ai demandé à votre collègue de monter dans ma voiture, et elle a refusé. Elle s'appelait Maud Boulard, c'est bien cela ? Maud Boulard a voulu jouer les dures, et la voilà raide...

La limousine démarra en trombe, laissant le cadavre derrière elle. Quelques rues plus loin, changement de voiture. Une Peugeot grise plus discrète nous attendait. Je lus rapidement le numéro de la plaque pour le mémoriser, à tout hasard.

— Nous allons faire une petite balade à la campagne, m'annonça le Russe, qui semblait s'amuser.

Grand et solidement bâti, il ressemblait beaucoup à la description du Loup. La main qui pointait le Beretta sur ma tempe ne tremblait pas. Cet homme connaissait visiblement bien les armes à feu et savait s'en servir.

— Qui êtes-vous ? Que me voulez-vous ?

— Peu importe qui je suis. Vous cherchez le Loup, n'est-ce pas ? Eh bien, je vais vous conduire à lui.

Il me lança un regard noir et me tendit un sac de toile.

— Mettez-vous ça sur la tête. Et à partir de maintenant, faites très exactement ce que je vous dis de faire. N'oubliez pas la leçon de choses.

— Je n'ai pas oublié.

J'enfilai ma cagoule. J'avais vu cet homme abattre Maud Boulard de sang-froid. Manifestement, pour le Loup et ses sbires, la vie des autres importait peu. Fallait-il en déduire qu'ils n'auraient pas davantage de scrupules à faire des milliers de victimes dans les quatre villes soumises à leur chantage ? Était-ce ainsi qu'ils prévoyaient de démontrer le pouvoir dont ils disposaient ? De se venger de quelque crime mystérieux commis dans le passé ?

Le trajet fut assez long. Il nous fallut un certain temps pour sortir de la ville, puis ce fut l'autoroute pendant près d'une heure.

Puis la Peugeot parut s'engager sur un chemin de terre. Les cahots mettaient ma colonne vertébrale à rude épreuve.

— Vous pouvez enlever votre cagoule, me dit Barbe Noire. Nous y sommes presque, Dr Cross. Cela dit, dans le coin, il n'y a pas grand-chose à voir.

Nous étions en pleine campagne, sur un chemin bordé de hautes herbes qui ondulaient dans la brise. Je ne voyais ni pancartes, ni repères.

— Il vit dans ce coin ? demandai-je, incrédule.

Allais-je vraiment rencontrer le Loup ? Pour quelle raison ?

— Provisoirement, Dr Cross, puis il repartira. Comme vous le savez, il se déplace beaucoup. On

pourrait le comparer à un spectre, à une apparition.
Vous allez bientôt comprendre.

La Peugeot s'arrêta devant un petit bâtiment de
ferme, d'où surgirent immédiatement deux hommes
qui braquèrent leurs armes automatiques sur moi.

— Entrez, m'ordonna l'un d'eux.

Affublé d'une barbe blanche, il était presque aussi
massif que Barbe Noire, sur lequel il avait visiblement
autorité.

— On se dépêche ! Vous êtes sourd, Dr Cross ?

Et il ajouta, un ton plus bas :

— C'est une brute. Il n'aurait pas dû tuer la
femme. Je suis le Loup, Dr Cross. Ravi de faire enfin
votre connaissance.

80.

Nous entrâmes dans la ferme.

— Au fait, n'essayez pas de jouer les héros, sans quoi je serais obligé de vous tuer et de trouver un autre messager.

— Parce que je suis un messager, maintenant ? En quel honneur ?

Le Russe balaya ma question d'un geste excédé.

— Le temps presse. N'était-ce pas ce que vous vous disiez, avec votre collègue française ? Les Français, ils voulaient simplement vous tenir à l'écart de leur enquête, vous le saviez ?

— Cette idée m'a traversé l'esprit.

J'avais encore du mal à croire que j'étais en train de parler au Loup. Qui était cet homme ? Pourquoi m'avait-on conduit jusqu'à lui ?

— Je n'en doute pas. Vous n'êtes pas un idiot.

Nous venions de pénétrer dans une petite pièce sombre. Une cheminée, des meubles en bois massif, des piles de revues et de journaux jaunis. Les volets étaient fermés, il n'y avait pas d'air. Seul un lampadaire dispensait un peu de lumière.

— Pourquoi suis-je ici ? finis-je par demander. Pourquoi vous montrez-vous maintenant ?

— Asseyez-vous, me dit le Russe.

— D'accord. Je suis le messager.

Je m'assis sur une chaise.

— Oui, vous êtes le messager, répéta-t-il. Il est important que chacun comprenne bien la gravité de la situation. C'est votre dernière chance.

— Nous l'avons compris.

À peine eus-je prononcé ces quelques mots qu'il se jetait sur moi pour me frapper à la mâchoire.

Ma chaise bascula en arrière, mon crâne heurta le sol de pierre. Je dus perdre brièvement connaissance.

Deux hommes me réinstallèrent sur ma chaise. J'avais la tête qui tournait, et un goût de sang dans la bouche.

— Je veux que les choses soient bien claires, reprit le Russe comme si ce coup de poing était une pause nécessaire dans son laïus. Vous êtes effectivement un messager. Aucun de vous ne semble saisir à quel point tout cela est grave. Ces pauvres idiots n'ont pas l'air de bien comprendre qu'ils vont mourir et ce que cela signifie. Quand ils comprendront, il sera trop tard... Cette imbécile, aujourd'hui, à Paris, vous croyez qu'elle a compris avant qu'une balle ne lui fasse exploser la cervelle ? L'argent devra être versé, cette fois, Dr Cross. En totalité. Dans les quatre villes. Et les détenus devront être libérés.

— Pourquoi les prisonniers ?

Il me frappa de nouveau, mais je réussis à ne pas tomber. Il me tourna le dos et sortit de la pièce.

— Parce que je l'ai décidé !

Il revint un instant plus tard, chargé d'une lourde valise noire qu'il déposa devant moi.

— Voici la face cachée de la lune.

Il ouvrit la valise pour m'en dévoiler le contenu.

— Ceci s'appelle un engin nucléaire tactique. Plus prosaïquement, on parlera de « valise nucléaire ». Cela produit une explosion épouvantable. Contrairement aux ogives nucléaires traditionnelles, cette bombe se déclenche au sol. Facile à dissimuler, facile à transporter. Rien de compliqué. Vous avez déjà vu des images d'Hiroshima, bien entendu. Comme tout le monde.

— Et alors ?

— Cette valise a approximativement la même puissance. De quoi faire des ravages. Aux beaux jours de l'Union soviétique, nous en fabriquions des centaines. Peut-être aimeriez-vous savoir où se trouvent certaines d'entre elles ? Eh bien, je peux vous dire qu'il y en a à Washington, à Tel-Aviv, à Paris et à Londres. Une ou plusieurs. Comme vous le voyez, nous sommes les nouveaux membres du club très fermé des puissances nucléaires.

Je commençais à avoir des sueurs froides. Cette valise renfermait-elle réellement une bombe nucléaire ?

— Quel est le message que je dois remettre ?

— Les autres dispositifs sont en place. Pour témoigner de ma bonne foi, vous pouvez emporter celui-ci. Vos spécialistes pourront y jeter un coup d'œil. Mais dites-leur bien de faire vite.

» Peut-être que vous comprenez, maintenant. Fichez le camp. Pour moi, vous n'êtes qu'un moucheron, mais au moins vous êtes un moucheron. Prenez cette arme nucléaire avec vous, considérez-la comme un cadeau. Et ne dites pas que je ne vous aurai pas prévenu. Vous savez ce qui va se passer. Maintenant, filez. Ne perdez pas de temps, Dr Cross.

81.

Je passai le reste de la journée dans un état second. Sans doute ne m'avait-on obligé à porter une cagoule que pour la mise en scène, puisque pendant le trajet du retour, qui me parut beaucoup plus court, j'en fus dispensé.

Je voulais savoir où on m'emmenait, mais aucun de mes ravisseurs ne daigna répondre à mes questions. Ils ne se parlaient qu'en russe.

*Pour moi, vous n'êtes qu'un moucheron...
Emportez cette arme nucléaire...*

Une fois dans Paris, la Peugeot s'arrêta sur le parking d'un centre commercial, au milieu de centaines d'autres véhicules. On me braqua un pistolet sur la tempe, on me menotta à la valise.

— Qu'est-ce que cela veut dire ?

Toujours pas de réponse.

Quelques instants plus tard, la voiture fit de nouveau halte, cette fois près du centre George Pompidou, l'un des lieux les plus fréquentés de la capitale. Mais il n'y avait plus grand monde, à cette heure-ci.

— Descendez !

C'était le premier mot d'anglais que j'entendais depuis une heure.

Lentement, avec un luxe de précautions, toujours

enchaîné à la valise, je m'extirpai de la berline, qui repartit aussitôt.

Je tenais à peine sur mes jambes, et l'air me paraissait presque palpable. Je sentais les particules, les atomes en suspension. J'étais là, figé sur l'immense place du centre George Pompidou, menotté à une valise noire pesant bien une trentaine de kilos.

Et cette valise était censée renfermer un engin nucléaire aussi dévastateur que ceux qu'Harry Truman avait fait larguer sur le Japon. Le corps glacé de sueur, je m'observais comme dans un rêve. Était-ce ainsi que tout allait finir ? Ma vie ne tenait plus qu'à un fil, celui d'un détonateur. Allais-je bientôt mourir pulvérisé ? Et sinon, finirais-je rongé par les radiations ?

Apercevant deux policiers près d'un magasin Virgin, je m'approchai d'eux, leur expliquai qui j'étais et leur demandai d'appeler le directeur de la sécurité publique.

Dès que je l'eus en ligne, je lui révélai le contenu de la valise.

— Le danger est-il réel ? me demanda-t-il. La bombe est amorcée ?

— Aucune idée. Comment voulez-vous que je le sache ? Faites comme si c'était le cas. Moi, c'est ce que je fais.

Envoyez les démineurs, et en quatrième vitesse ! Ne restez pas pendu au téléphone ! hurlai-je intérieurement.

Quelques minutes plus tard, tout le quartier Beaubourg était évacué. Des dizaines de policiers en tenue, la police militaire et des artificiers avaient pris possession des lieux. J'osais espérer que les Français avaient mobilisé leurs meilleurs hommes.

On me demanda de m'asseoir par terre, ce que je fis. Avais-je le choix ?

On fit venir un chien renifleur. Un beau et jeune berger allemand qui s'approcha, très méfiant, en regardant la valise comme s'il s'agissait d'un rival ou d'un adversaire.

À cinq mètres de l'objectif, le chien s'immobilisa et un grognement sourd monta de son poitrail. Je vis les poils se dresser sur son encolure. Oh, merde.

Le chien gronda, gronda encore, et une fois certain que le contenu de la valise était bien radioactif, il battit sagement en retraite. Jamais je n'avais eu aussi peur. L'idée d'être pulvérisé, pour ne pas dire vaporisé, n'avait rien de très alléchant.

Au bout de quelques minutes qui me parurent une éternité, je vis arriver deux artificiers en combinaison étanche. L'un d'eux était équipé de grosses pinces coupantes. Dieu soit loué ! Tout cela me paraissait totalement irréel.

L'homme aux pinces s'agenouilla près de moi en murmurant :

— Tout va bien. Tout va bien se passer.

Et, délicatement, il sectionna mes menottes.

— Vous pouvez y aller. Levez-vous doucement.

Péniblement, je me mis debout et reculai, en massant mes poignets meurtris.

Mes sauveteurs aux allures d'extraterrestres m'escortèrent jusqu'aux fourgons de déminage, hors de la zone rouge. Un périmètre purement théorique, car une explosion nucléaire aurait immédiatement rasé une surface d'au moins deux kilomètres carrés.

Depuis l'un des deux véhicules, je pus assister aux opérations de désamorçage. Pour moi, il n'était pas question de quitter les lieux, et jamais le temps ne m'avait paru aussi long. Personne n'osait parler, nous retenions notre souffle. Mourir comme ça, aussi brutalement, nous semblait inconcevable.

Les démineurs nous annoncèrent qu'ils avaient réussi à ouvrir la valise.

Et moins d'une minute plus tard, ils ajoutèrent :

— Le combustible est là. C'est du sérieux. Et tout semble en parfait état de fonctionnement, malheureusement.

L'engin n'était pas factice. En vrai sadique, le Loup tenait toujours ses promesses...

Puis je vis l'un des démineurs brandir le poing et dans le fourgon, devant les écrans de contrôle, des acclamations retentirent. J'ignorais ce qui s'était passé, mais les nouvelles semblaient rassurantes. On ne me disait rien.

— *Qu'y a-t-il ?* finis-je par demander, en français.

— Il n'y a pas de détonateur ! m'expliqua un technicien. La bombe ne pouvait pas sauter. Ils ne voulaient pas la faire exploser, ils voulaient juste nous flanquer la trouille.

— Je peux vous dire que ça a marché, répliquai-je.

82.

Dans les heures qui suivirent, il s'avéra que la valise nucléaire renfermait tous les composants nécessaires, à l'exception de l'émetteur de neutrons faisant office de détonateur. Tous les éléments sensibles étaient là. Ce soir-là, je ne pus avaler quoi que ce soit, je ne parvins pas à me concentrer. J'avais subi des tests qui s'étaient révélés négatifs, mais l'obsession de l'irradiation s'était déjà frayé un chemin dans mon esprit.

Et je ne cessais de penser à la pauvre Maud Boulard. Son visage, sa voix, son entêtement et sa naïveté, ce déjeuner insensé, ses cheveux roux ruisselant sur le trottoir.

De retour à mon hôtel, je me pris à regretter d'avoir demandé une chambre donnant sur la rue. Engourdi, épuisé, j'avais le cerveau en ébullition, et le vacarme qui montait jusqu'à mes fenêtres était insupportable. Ils ont des armes nucléaires. Ils ne bluffent pas. L'holocauste est pour bientôt, me répétai-je.

Je décidai d'appeler les enfants vers 18 heures, heure de Washington, pour leur raconter tout ce que je n'avais pas vu à Paris, en évitant soigneusement de faire allusion à ce qui m'était réellement arrivé. Les médias n'en parlaient pas encore, mais l'info n'allait pas tarder à circuler.

Quand j'eus Nana en ligne, en revanche, je lui dis la vérité. Ce que j'avais pu ressentir, assis par terre, une bombe attachée au poignet. Je lui racontais toujours mes pires expériences, et celle-ci figurait désormais en tête de liste.

83.

En arrivant dans mon petit bureau à la Préfecture, j'eus droit à une autre surprise. Martin Lodge m'attendait. Il était 7 h 15. Nous étions à un peu plus de dix heures de l'apocalypse.

Je lui serrai chaleureusement la main.

— Il ne nous reste pas beaucoup de temps. Pourquoi êtes-vous venu à Paris ?

— Je suis là pour faire les dernières recommandations, disons. Je dois faire le point sur la situation à Londres. Et à Tel-Aviv. Selon notre perspective, bien entendu.

— Et ?

— Tu tiens vraiment à entendre deux fois la même histoire pourrie ?

— Oui.

— Celle-là, ça m'étonnerait. C'est fichu, Alex. Je crois qu'il va devoir faire sauter une des villes pour que les choses bougent. On en est arrivé là. Le pire, c'est Tel-Aviv. Là-bas, à mon avis, c'est sans espoir. Ils ne traitent pas avec les terroristes. Voilà, tu voulais savoir...

La réunion débuta à 8 heures pile. Les artificiers qui avaient désossé la valise nucléaire nous expliquèrent que seul manquait l'émetteur à neutrons, le dispositif de mise à feu. Et selon eux, la quantité de matériau radioactif était peut-être insuffisante.

Un général dressa rapidement le tableau de la situation à Paris. La population avait peur et les gens évitaient de sortir, mais rares étaient ceux qui avaient fui la capitale. L'armée était prête à investir les rues, dans le cadre de la loi martiale, dès l'expiration de l'ultimatum. Autrement dit, à 18 heures.

Puis vint le tour de Martin, qui s'adressa à la salle en français.

— Bonjour. Je ne sais pas si vous partagez mon point de vue, mais quand nous réussissons à nous adapter à une réalité nouvelle, il se passe des choses incroyables. Les Londoniens se sont montrés admirables, d'une manière générale. Il y a bien eu quelques pillages, mais ce n'est rien en comparaison de ce que nous pouvions craindre. J'ai des raisons de penser que les individus qui nous auraient posé le plus de problèmes ont été parmi les premiers à fuir Londres. En ce qui concerne Tel-Aviv, les Israéliens ont la situation bien en main. Il faut dire qu'ils ont l'habitude de vivre sous la menace.

» Bref, voilà pour les bonnes nouvelles. La mauvaise nouvelle, c'est que nous avons réuni une bonne partie de la somme réclamée, mais pas l'intégralité. Je vous parle de Londres. Pour ce qui est de Tel-Aviv, je peux juste vous dire que les Israéliens n'ont pas l'intention de négocier. Comme ils tiennent à cacher leur jeu, nous n'en savons pas beaucoup plus.

» Bien entendu, nous leur mettons la pression. Tout comme la Maison Blanche. Je sais que des particuliers ont été sollicités. La totalité de la rançon pourrait être réunie, mais rien ne nous assure que le gouvernement israélien acceptera l'argent. Il ne veut pas négocier avec les terroristes.

» Il nous reste moins de dix heures. Au risque de vous paraître grossier, je pense que nous n'avons plus de temps à perdre en conneries. Il faut rappeler à l'ordre ceux qui refusent de verser la rançon.

Un policier était venu me chuchoter quelque chose à l'oreille.

— Désolé, Dr Cross, on a besoin de vous.

— Pourquoi ?

Je ne voulais pas manquer la suite des interventions.

— Suivez-moi. C'est urgent. Tout de suite, si vous voulez bien.

84.

Je savais que, paradoxalement, à ce stade du compte à rebours, l'expression « urgent » était sans doute synonyme de bonne nouvelle.

Une voiture de police m'attendait. Nous démarrâmes en trombe.

Le ululement de la sirène accentuait l'atmosphère de désolation de ces rues quasiment désertes où seules circulaient des patrouilles de policiers et de militaires. Durant le trajet, on m'expliqua le rôle que j'allais tenir dans un interrogatoire en cours.

— Nous avons arrêté un marchand d'armes, Dr Cross. Nous avons des raisons de penser qu'il a aidé à fournir les bombes. Peut-être l'un des hommes que vous avez vus dans cette ferme, aux alentours de Paris. Il est russe, et il a une barbe blanche.

Quelques minutes plus tard, nous arrivions au siège de la brigade criminelle, une immense et sombre bâtisse du XIXᵉ siècle surplombant la Seine, dans un quartier très calme. C'était « la Crim » popularisée par d'innombrables films et romans, dont les fameux Maigret que Nana et moi avions lus ensemble quand j'étais petit. La vie imite l'art, ou quelque chose comme ça...

Je dus emprunter un escalier branlant pour accéder au dernier étage, où se tenait l'interrogatoire.

On me conduisit jusqu'à la pièce 414, au fond d'un couloir étroit comme une coursive de sous-marin. Le brigadier qui m'accompagnait frappa une fois à la porte, et nous entrâmes.

Je reconnus immédiatement le trafiquant d'armes russe.

Les Français avaient capturé Barbe Blanche, le type qui m'avait déclaré être le Loup.

85.

La minuscule pièce mansardée, au plafond grêlé de taches d'humidité, n'était éclairée que par un Velux. Il était 8 h 45 à ma montre. Tic, tac, tic, tac.

Le capitaine Coridon et le lieutenant Leroux étaient en train de cuisiner Artur Nikitin, le trafiquant russe dont j'avais déjà fait la connaissance. Pieds et torse nus, les mains dans le dos, menotté, il transpirait à grosses gouttes. C'était bien le Russe barbu que j'avais vu à la ferme.

Pendant le trajet, on m'avait expliqué que son business avec Al-Qaida lui avait déjà rapporté des millions de dollars. Les Français avaient la conviction qu'il était mêlé au trafic de valises nucléaires, qu'il savait combien d'exemplaires avaient été vendus, et à qui.

Il hurlait :

— Bande de lâches ! Vous ne pouvez pas me faire ça ! Je n'ai rien fait de mal. Vous la ramenez, les Français, vous prétendez que vous êtes le pays de la tolérance, tu parles !

Il me regarda, fit semblant de ne pas me reconnaître. Il jouait tellement mal la comédie que je ne pus m'empêcher de sourire.

— Tu as peut-être remarqué, lui dit le capitaine Coridon, qu'on t'a emmené à la préfecture de police, et non dans les locaux de la DST. Tu sais pourquoi ? Parce qu'on ne t'accuse pas de trafic d'armes, mais de meurtre. Nous, on est de la criminelle, et crois-moi, dans cette pièce, on ne cultive pas la tolérance.

Dans le regard de Nikitin, je lisais un mélange de fureur et de désarroi. Ma présence le déstabilisait.

— C'est des conneries, tout ça ! Je ne peux pas y croire. Je n'ai rien fait de mal. Je suis un homme d'affaires ! Un citoyen français. Je veux mon avocat !

Coridon me regarda.

— Essayez, vous.

Mon poing s'écrasa sur la mâchoire du Russe, et ce fut comme si cet uppercut lui décrochait la tête.

— On n'est pas encore quittes, loin de là. Personne ne sait que tu es ici ! Tu seras jugé comme terroriste, et exécuté. Tout le monde s'en fichera, après-demain, quand tes bombes auront tué des milliers de personnes et détruit Paris.

— Je vous le répète, hurla le Russe, je n'ai rien fait ! Vous ne pouvez pas me faire quoi que ce soit. Quelles armes ? Quelles bombes ? Je suis qui, moi, Saddam Hussein ? Vous n'avez pas le droit de faire ça.

— On peut t'exécuter, et on le fera, renchérit le capitaine Coridon. En sortant de cette pièce, Nikitin, tu seras un homme mort. D'autres ordures de ton espèce ont des choses à nous dire. On aidera les premiers qui nous aideront. (Et il aboya :) Sortez-le ! On perd notre temps avec ce connard !

Le brigadier qui m'avait escorté attrapa Nikitin par les cheveux et la taille du pantalon, et le balança à travers la pièce. Le Russe se cogna la tête contre le mur, mais parvint à se relever. Il avait visiblement peur. Il commençait à comprendre que les règles de l'interrogatoire avaient changé. Que tout avait changé.

— Si tu veux parler, lui dis-je, c'est ta dernière

chance. N'oublie pas que, pour nous, tu n'es qu'un *moucheron*.

— Je n'ai rien vendu à qui ce soit en France ! Je vends en Angola, contre des diamants !

— Je m'en fous, et je ne te crois pas ! hurla le capitaine Coridon. Virez-le-moi d'ici !

Et soudain, Nikitin lâcha :

— Je sais quelque chose ! Les valises nucléaires ! Il y en a quatre. C'est Al-Qaida qui est derrière tout ça. C'est leur projet, c'est eux qui prennent les décisions. Les prisonniers de guerre, tout ça...

Je me tournai vers les policiers français, plus que sceptique.

— Le Loup nous l'a livré volontairement. Et sa « performance » ne va pas lui plaire. Il va se charger de le tuer à notre place. Je ne crois pas un mot de ce qu'il vient de nous dire.

Nikitin nous regarda et cracha :

— Al-Qaida ! Et je vous emmerde, si ça ne vous plaît pas, si vous ne voulez pas me croire !

— Prouve-nous ce que tu avances, lui dis-je. Aide-nous à te croire. Aide-moi à te croire, parce que moi, pour l'instant, je ne te crois absolument pas.

— D'accord. Ça, je peux. Je vais vous faire changer d'avis, et vous allez tous me croire, cette fois.

86.

Dès mon arrivée à la préfecture, Martin Lodge vint me chercher, sans me laisser le temps de souffler.

— On y va !

— Comment ça ? On va où ?

Je jetai un coup d'œil à ma montre. C'était devenu une habitude. Il était 10 h 25.

— On donne l'assaut dans quelques minutes. La planque que le Russe vous a indiquée – elle existe bel et bien.

Au QG de crise, à l'étage, mon vieil ami Étienne Marteau nous attendait. Nous allions pouvoir assister à l'intervention en direct, sur une rangée d'écrans. Tout allait très vite, désormais. Trop vite, peut-être, mais avions-nous le choix ?

— L'opération se présente bien, me confia Marteau. EDF va couper le courant dans tout le secteur, et l'équipe passera alors à l'action.

Je pus suivre toute l'opération à distance. Curieuse expérience. Des dizaines d'hommes du RAID – Recherche, Assistance, Intervention et Dissuasion – armés de fusils d'assaut surgirent de nulle part.

En quelques secondes, ils encerclèrent une petite maison de ville, d'apparence paisible, et défoncèrent la porte d'entrée.

Un VBL, équivalent français du Hummer, apparut à l'image. Il pulvérisa le portail de bois du jardin, derrière la maison. D'autres hommes sortirent du véhicule.

— Nous n'allons pas tarder à être fixés, dis-je. Les hommes du RAID sont compétents ?

— Oh, oui, ils sont redoutables et ils ont une grande puissance de feu.

Deux des policiers français étaient équipés de micros et de caméras, ce qui nous permettait de suivre l'action. Une porte s'ouvrit brutalement, on entendit un coup de feu à l'intérieur de la pièce, puis des tirs nourris, en riposte.

Quelqu'un poussa un hurlement, un corps s'écroula sur le parquet.

Deux hommes armés, en slip, tentèrent de s'enfuir par un couloir. Tous deux furent immédiatement abattus.

Une femme à demi nue, pistolet à la main, s'effondra, la gorge perforée.

— Ne les tuez pas tous, murmurai-je devant mon écran.

Un hélicoptère Cougar débarqua un autre commando d'élite. À l'intérieur de la maison, les hommes du RAID s'engouffrèrent dans une chambre, où ils découvrirent un homme allongé sur un lit de camp. Ils le prirent vivant, à mon grand soulagement.

D'autres terroristes se rendaient, mains en l'air.

Hors caméra, j'entendis d'autres tirs d'armes automatiques.

Un suspect fut emmené, un pistolet braqué sur la tête. C'était un homme d'âge mûr. Les Français avaient-ils réussi à capturer le Loup ? Le policier qui l'escortait affichait un grand sourire, comme si la prise était de taille. En tout cas, l'opération avait été rondement menée. Quatre terroristes, au moins, avaient été arrêtés.

Les caméras avaient été coupées, et nous attendions impatiemment le bilan.

Vers 15 heures, enfin, un colonel prit la parole. Au QG de crise, bourré à craquer, la tension était à son comble.

— Nous avons identifié les hommes qui ont été interpellés, commença le militaire. Un Iranien, un Saoudien, un Marocain, et deux Égyptiens. Ils appartiennent à une cellule d'Al-Qaida. Nous les connaissons. Il est peu probable que nous ayons mis la main sur le Loup. Il est également peu probable que ces activistes soient liés au chantage qui vise Paris. Je suis navré de vous apporter de mauvaises nouvelles, aussi tardivement, mais nous avons fait de notre mieux. Le Loup a toujours une longueur d'avance sur nous. Désolé.

87.

L'effroyable ultimatum allait bientôt expirer, et nous n'avions pas la moindre idée de ce qui nous attendait. Nous avions tout tenté pour arrêter le Loup, en vain.

Il était 17 h 45 quand, aussi nerveux les uns que les autres, nous descendîmes de nos Renault noires ou bleu nuit pour franchir l'immense portail du ministère de l'Intérieur, où nous devions retrouver les responsables de la DGSE. En passant sous ces hautes ferronneries, je me fis l'effet d'un suppliant, petit et insignifiant, à la merci de puissances supérieures, et je ne parle pas que de Dieu...

En voyant la grande cour pavée, je pensai à tous les carrosses qui avaient, autrefois, franchi ces mêmes portes. Le monde avait-il fait des progrès depuis ? Aujourd'hui, j'avais des raisons d'en douter.

En compagnie d'un cortège d'officiers de police, de directeurs de services et de ministres du gouvernement, je découvris un somptueux hall d'entrée aux dalles de marbre rose et blanc. Des militaires en tenue d'apparat, mais armés, formaient une haie d'honneur dans l'escalier monumental. On n'entendait que nos pas et quelques toussotements nerveux. Dans moins d'une heure, Paris, Londres, Washington et Tel-Aviv risquaient d'être frappés par des attentats dont les victimes se compteraient par milliers.

Et tout cela, parce que nous sommes à la merci d'un mafieux russe lié à Al-Qaida ? Invraisemblable, pensai-je.

La réunion se tenait dans la salle des fêtes, et je ne me sentais pas très à l'aise. J'étais là à la demande du FBI, qui jugeait que mon expérience de psychologue et d'enquêteur d'une brigade criminelle pouvait se révéler utile. Le Loup avait peut-être été victime d'un événement grave à Paris, dans un passé lointain. Restait à découvrir quoi.

Les tables recouvertes d'un drap blanc avaient été disposées en U. Sur les cartes plastifiées de l'Europe, du Moyen-Orient et des États-Unis, placées sur des chevalets, on avait tracé au feutre rouge de grands cercles représentant les zones menacées. On ne pouvait pas faire plus simple, ni plus parlant.

Il y avait dans la salle une douzaine d'écrans, et un système de téléconférence extrêmement sophistiqué. Les hommes de pouvoir, en costumes gris ou bleu marine, étaient venus en nombre. Je remarquai que plusieurs personnes portaient de petites lunettes à monture de titane. Ah, ces Français et leur look branché...

Les écrans muraux montraient des images de Londres, Washington, Paris et Tel-Aviv. Tout était calme. L'armée et la police se faisaient discrètes. Étienne Marteau vint s'asseoir à côté de moi. Martin Lodge était déjà rentré à Londres.

— Alex, quelles sont nos chances, selon vous, à Paris ? En restant réaliste.

— Je ne sais pas ce qui se passe, lui répondis-je. Personne n'y comprend rien. Nous avons peut-être déjà démantelé, sans le savoir, la principale cellule

terroriste. Je pense que l'ultimatum est l'aboutisse-
ment de leur campagne. Le Loup devait savoir qu'il
nous serait très difficile de nous plier à ses exigences.
Quelque chose a dû lui arriver ici, à Paris. Nous ne
savons toujours pas quoi. Que voulez-vous que je vous
dise ? Le délai va expirer. Nous sommes piégés.

Soudain, Étienne se redressa.

— Oh, merde, c'est le président Debauney.

88.

Aramis Debauney, le président de la République française, âgé d'une cinquantaine d'années, n'était pas très grand. Cheveux gris argent lissés, fine moustache, lunettes à monture d'acier, il semblait calme et très maître de lui. Il traversa rapidement la salle et prit la parole. On entendait les mouches voler.

— Comme vous le savez, je connais bien les questions de sécurité publique pour avoir moi-même, durant de longues années, été un flic de terrain. J'ai donc souhaité m'adresser directement à vous. Je voulais également être à vos côtés avant l'expiration de l'ultimatum.

» J'ai du nouveau. L'argent a été réuni. À Paris, à Londres, à Washington, ainsi qu'à Tel-Aviv, grâce à l'aide des nombreux amis d'Israël dans le monde. La totalité de cette somme sera virée dans trois minutes et demie, soit environ cinq minutes avant l'heure limite.

» Je tiens à remercier vous toutes et vous tous, ici présents, ainsi que toutes les personnes que vous représentez, d'avoir travaillé si durement, sans compter les heures ; d'avoir consenti à des sacrifices personnels qui n'auraient jamais dû vous être demandés, de vous être montrés si héroïques, si courageux. Nous avons fait du mieux que nous pouvions et, ce qui est le plus important, nous survivrons à cette crise. Nous finirons par mettre hors d'état de nuire ces monstres inhumains. Et nous aurons la peau du Loup, le plus monstrueux de tous.

Tout le monde avait les yeux rivés sur la pendule d'or Empire qui égrenait les secondes derrière le Président.

Il était 17 h 55, heure de Paris, quand Aramis Debauney déclara :

— Le virement est en cours. Ce sera l'affaire de quelques secondes... Voilà, c'est terminé. Tout devrait bien se passer, désormais. Félicitations à vous tous. Merci.

Des soupirs de soulagement roulèrent dans l'immense salle. Sourires, poignées de main, accolades.

Puis, instinctivement, chacun attendit la réaction du Loup. Une intervention quelconque. Des nouvelles des autres villes prises en otages.

Le compte à rebours tirait à sa fin, et la tension était devenue presque palpable, même si la rançon avait été payée. Je regardais la trotteuse de la pendule égrener les secondes, en priant pour les miens, pour les habitants des villes prises en otages, pour notre monde.

Il était maintenant 18 heures à Paris, 17 heures à Londres, midi à Washington, 19 heures à Tel-Aviv.

Nous avions respecté, fût-ce de justesse, le délai imposé. Cela signifiait-il que nous étions tirés d'affaire ?

Sur les écrans, toujours les mêmes images. Pas d'explosions. Rien.

Pas d'appel du Loup.

Deux minutes s'écoulèrent.

Dix minutes.

Puis une terrible déflagration secoua la salle... et toute la planète.

V

DÉLIVRE-NOUS DU MAL

89.

Il ne s'agissait pas d'engins nucléaires, mais les bombes étaient d'une puissance telle qu'elles rasèrent quasiment le Iᵉʳ arrondissement de Paris et son labyrinthe de petites rues et d'impasses, aux alentours du Louvre. Près de mille personnes périrent instantanément, ou dans les secondes qui suivirent. Le fracas et la secousse des explosions furent perçus jusqu'en banlieue.

Le musée du Louvre avait été peu touché, mais du périmètre comprenant les rues de Marengo, de l'Oratoire et Bailleul, il ne restait quasiment plus rien. Et le pont des Arts avait été détruit.

Encore un pont, et cette fois, à Paris.

Du Loup, pas de nouvelles. Aucune revendication, aucune dénégation.

Avait-il besoin de justifier ses actes, puisqu'il se prenait pour Dieu ?

Au sein de notre gouvernement, à Washington, tout comme dans les médias, il y a des gens immensément présomptueux qui croient pouvoir prévoir l'avenir parce qu'ils s'imaginent connaître le passé. Je suppose qu'il en est de même à Paris, à Londres et à Tel-Aviv. Dans le monde entier, il y a des gens intelligents et peut-être même bien intentionnés qui clament haut et fort : « C'est impossible » ou « Voilà ce qui se passera en réalité ». Comme s'ils savaient. Mais ils ne savent pas. Personne ne sait.

Aujourd'hui, plus question de prendre des paris. Tout peut arriver, et arrivera probablement, un jour ou l'autre. L'espèce humaine, au lieu de gagner en sagesse, s'enfonce dans la folie. Son potentiel destructeur s'accroît de jour en jour.

Dans l'avion qui me ramenait aux États-Unis, je broyais du noir. Un drame épouvantable venait de frapper Paris. Le Loup était sorti largement vainqueur de notre sinistre confrontation.

Un mafieux russe, ivre, mégalomane avait, semblait-il, adopté la stratégie du terrorisme. Il était meilleur que nous, mieux organisé, plus perspicace, et beaucoup plus violent lorsqu'il voulait arriver à ses fins. J'aurais été incapable de dire à quand remontait notre dernière victoire contre le Loup. Oui, il était plus intelligent que nous. Il ne me restait plus qu'à prier – est-ce la fin du cauchemar, ou juste, une fois de plus, le calme avant la tempête ? Je refusais d'envisager une telle possibilité.

J'arrivai chez moi un peu après 15 heures, le jeudi après-midi. Les enfants étaient de retour et Nana, évidemment, n'avait jamais quitté la maison. Sitôt le seuil de la porte franchi, je fis savoir que ce soir, je me chargerais du dîner. Et pas question de contester. C'était exactement ce qu'il me fallait : mitonner un bon petit plat, bavarder, faire une provision de câlins. Et surtout ne pas penser à l'attentat de Paris, au Loup, à nos enquêtes...

J'avais décidé de jouer les cuisiniers français et, pour renforcer mon interprétation, je me fendis de quelques commentaires dans la langue de Voltaire. Jannie aida Nana à dresser la table. Pour l'occasion, nous sortîmes l'argenterie, les serviettes et la nappe brodée. Au menu ? Langoustines rôties et leur brunoise de papaye, poivrons et oignons doux, suivies d'une fricassée de poulet au vin rouge. Quelques verres d'un délicieux minervois accompagna ce festin. Tout le monde se régala.

Le dessert, lui, se voulait typiquement américain : brownies et glace.

J'étais à la maison, après tout. Enfin...

90.

Quel bonheur d'être de retour chez soi !

Le lendemain matin, je pris la décision de ne pas aller travailler et de rester avec les enfants. Cette initiative fut largement applaudie, y compris par Nana, qui nous encourageait à faire l'école buissonnière. Je téléphonai deux fois à Jamilla, ce qui me fit un bien fou, comme d'habitude, mais j'eus tout de même le sentiment qu'entre nous, les choses n'étaient plus comme avant.

Ce fut l'occasion d'emmener Damon et Jannie à St. Michaels, dans le Maryland. Ce pittoresque village de la baie de Chesapeake évoquait une vieille carte postale : un petit port où s'activaient pêcheurs et plaisanciers, deux petits hôtels avec terrasses et rocking-chairs, et même un phare. Au musée de la mer, nous pûmes voir d'authentiques charpentiers de marine à l'œuvre – ils restauraient un vieux voilier, un *skipjack*. Nous avions l'impression d'être revenus au XIXᵉ siècle, ce qui n'était pas si mal...

Après avoir déjeuné dans un restaurant de poissons, nous embarquâmes à bord d'un vrai *skipjack* avec d'autres touristes. Nana avait déjà souvent fait ce genre de sortie en mer avec ses élèves, mais elle n'avait pas voulu venir aujourd'hui, prétextant qu'elle avait du ménage. J'espérais que ce n'était pas un problème de santé. Ayant encore en mémoire ses commentaires pédagogiques, je m'improvisai guide-conférencier :

— Jannie et Damon, ce que vous voyez là, c'est la dernière flottille de pêche à voile de toute l'Amérique du Nord. Vous imaginez ? Sur ces bateaux, il n'y a pas de winches, tout se fait à l'huile de coude, avec des palans. Ces pêcheurs-là sont de vrais marins.

Et deux heures et demie durant, le *Mary Merchant* nous fit voguer dans le passé.

Le capitaine et son matelot nous montrèrent comment hisser la voile. Très vite, un petit vent gonfla la toile et la coque se mit à marteler la houle. Quel après-midi ! Lever les yeux vers ce mât de soixante pieds, taillé d'une seule pièce dans un tronc acheminé depuis l'Oregon. Humer ces parfums d'embruns, d'huile de lin et de débris de coquilles d'huîtres. Sentir contre moi mes deux grands enfants, lire dans leur regard la confiance et l'amour qu'ils me vouaient. Enfin, généralement...

Sur la côte, nous apercevions des pinèdes, des champs de maïs et de soja cultivés par des métayers, de vastes propriétés où trônaient d'opulentes demeures à colonnades blanches, anciennes maisons de planteurs. C'était comme si j'avais fait un bond de plus de deux siècles dans le passé, et cette escapade me faisait le plus grand bien. De temps à autre, mon travail me revenait à l'esprit, mais je m'empressais de penser à autre chose.

D'une oreille distraite, j'entendis le capitaine expliquer que « seuls les bateaux à voile pouvaient pêcher l'huître à la drague », sauf les deux jours de la semaine où les canots à moteur avaient le droit de sortir dans la baie. Grâce à cette législation contraignante, les pêcheurs traditionnels étaient assurés de voir les bancs d'huîtres se renouveler.

Ce fut une merveilleuse journée. Quand le bateau vira de bord, la baume passa au-dessus de nos têtes, le foc et la grand-voile claquèrent dans la brise, et nous, nous laissions le couchant nous éblouir. En ayant compris, fût-ce brièvement, que la vie, c'était peut-être aussi cela, et qu'il fallait savourer et préserver dans notre mémoire chacune de ces secondes de bonheur.

— C'était le plus beau jour de ma vie, me chuchota Jannie. Et j'exagère à peine.

— Pareil, lui répondis-je. Et moi, je n'exagère pas du tout.

91.

À notre retour, en fin d'après-midi, j'aperçus un monospace blanc à la carrosserie abîmée garé devant la maison, et reconnus sur la portière le logo vert du Homecare Health Project, le service de soins à domicile. Que faisait le Dr Coles ici ?

J'eus un moment d'angoisse en me disant qu'il était peut-être arrivé quelque chose à Nana pendant notre absence. J'avais des raisons de m'inquiéter : sa santé était devenue fragile et elle avait au moins quatre-vingt-cinq ans – elle refusait de dire son âge exact, ou plutôt, elle se rajeunissait. Je sortis en courant, sans attendre les enfants.

— Je suis là, avec Kayla, me lança Nana dès que j'eus franchi le seuil, débordé des deux côtés par Damon et Jannie. On est juste en train de se détendre, Alex. Pas besoin de t'inquiéter. Prends ton temps.

— Qui parle de s'inquiéter ? dis-je en marquant le pas.

Elles étaient là, dans le séjour, installées sur le canapé, « en train de se détendre ».

— Tu t'inquiétais, monsieur l'angoissé. Tu as vu la voiture du service de santé et tu t'es dit : ah, il y a un problème...

Je tentai vainement de protester.

— Non, absolument pas.

— Dans ce cas, pourquoi débarquer en courant comme si tu avais le feu au pantalon ? Bon, Alex, on passe à autre chose.

Et d'un geste, elle fit mine de disperser les ondes négatives de la pièce.

— Viens t'asseoir avec nous une ou deux minutes. Tu penses pouvoir te le permettre ? Dis-moi tout. Comment c'était, St. Michaels ? Ça a beaucoup changé ?

— Oh, je crois qu'à peu de chose près, St. Michaels est resté tel quel depuis un siècle.

— Tant mieux. Ce sont les petites satisfactions qui rendent la vie supportable.

J'embrassai Kayla sur la joue. Quand Nana avait été malade, elle était venue s'occuper d'elle, et désormais elle passait régulièrement lui rendre visite. En fait, je la connaissais depuis longtemps, car elle était du quartier, comme moi. Elle aussi avait réussi à s'en sortir. Elle avait fait des études et elle était revenue pour redonner ce qu'elle avait reçu. Grâce au Homecare Health Project, des médecins se rendaient gratuitement au domicile des habitants de Southeast. C'était Kayla qui avait lancé l'opération et qui en assurait le fonctionnement, sans compter ses heures, en se chargeant le plus souvent elle-même des collectes de fonds.

— Vous avez l'air en pleine forme, lui dis-je.

— Oui, j'ai un peu maigri, Alex, me répondit-elle, l'œil espiègle. Rien d'étonnant, je passe mon temps à courir. Je fais pourtant de mon mieux pour garder mon poids de forme, mais je n'arrête pas de fondre. C'est terrible.

Ça, je l'avais remarqué. Kayla est grande, mais je ne l'avais jamais vue aussi svelte, même enfant. Elle avait toujours eu un très joli visage et un caractère avenant.

— C'est aussi une manière de donner l'exemple, ajouta-t-elle. Il y a trop de gens en surpoids dans le quartier, trop d'obèses. Beaucoup d'enfants sont énormes, et ils s'imaginent que c'est un problème génétique. (Elle riait, maintenant.) En plus, je dois bien admettre que ça améliore mes relations avec les autres, ma vision de la vie, et d'autres choses encore.

Et moi d'enfoncer le clou :

— Moi, je vous ai toujours trouvée très bien, vous savez.

Kayla se tourna vers Nana en levant les yeux au ciel.

— En voilà un qui sait mentir ! (Puis s'adressant à moi :) Merci tout de même pour le compliment, Alex. C'est toujours bon à prendre. Je trouve même qu'il n'est pas trop condescendant. Enfin, vous voyez ce que je veux dire.

Il valait mieux changer de sujet, me dis-je.

— Donc Nana se porte comme un charme, et elle sera centenaire ?

— Moi, je pense que oui.

Nana fronça les sourcils.

— Je te trouve bien pressé de te débarrasser de moi. Qu'ai-je fait pour mériter ça ?

— C'est peut-être parce que tu me casses les pieds, rétorquai-je en riant. Tu le sais, ça ?

— Bien sûr que je le sais. C'est mon boulot. Ma raison d'être, c'est de te pourrir la vie. Tu ne t'en es pas encore rendu compte ?

En entendant ces sarcasmes familiers, je me sentis enfin chez moi, pour de bon, tel un soldat démobilisé. J'entraînai Kayla et Nana sur la terrasse et leur jouai

« Un Américain à Paris ». En quelque sorte moi, quelques jours plus tôt...

Vers 23 heures, au moment de raccompagner Kayla jusqu'à son véhicule, je lui dis :

— Merci d'être passée la voir.

— Vous n'avez pas à me remercier, me répondit-elle. Je le fais parce que j'en ai envie. Il se trouve que j'adore votre grand-mère. Vraiment. Depuis des années, je la considère comme une guide spirituelle, je m'inspire d'elle.

Et là, brusquement, elle m'embrassa longuement, puis se redressa en riant.

— Il y a si longtemps que je voulais le faire !

— Et ? fis-je, un peu décontenancé.

— Et maintenant, je l'ai fait, Alex. Intéressant.

— Intéressant ?

— Il faut que je file. Je suis en retard.

Hilare, elle courut à sa voiture.

Intéressant.

92.

Après ce répit bien mérité, je me remis au travail. Dès mon arrivée au bureau, on m'informa que j'étais toujours affecté à l'enquête sur les attentats et les extorsions de fonds imputés au Loup. Il nous fallait à présent traquer les auteurs de ces atrocités, et ceux à qui le crime profitait. On avait besoin de moi parce que je ne lâche jamais le morceau. Paraît-il...

J'étais presque content de me remettre en chasse. Je repris donc contact avec mes correspondants : Martin Lodge à Londres, Sandy Greeberg d'Interpol, Étienne Marteau à Paris, ainsi que plusieurs officiers de police et de renseignement à Francfort et Tel-Aviv. Personne ne semblait avoir le moindre début de piste sérieux.

Un butin de près de deux milliards de dollars se trouvait désormais dans les coffres du Loup, d'Al-Qaida ou de quelque autre tueur psychopathe, redoutablement intelligent. Un quartier de Paris avait été soufflé, et nous avions remis en liberté des dizaines d'islamistes impliqués dans diverses opérations terroristes.

Il fallait trouver la faille, découvrir l'identité de ces criminels.

Le lendemain, Monnie Donnelley me fit parvenir

une note qui éveilla mon attention. Je pris la voiture pour me rendre à Lexington, Virginie.

Une petite route, une maison, une Dodge Durango dans l'allée. Quelques chevaux en train de brouter dans leur paddock.

Joe Cahill m'accueillit, tout sourires. L'ex-agent de la CIA n'avait pas changé depuis les dernières fois où nous nous étions rencontrés pour faire le point sur ce que nous savions du Loup. Au téléphone, il m'avait dit être tout disposé à nous aider dans notre enquête. Il m'invita à entrer. Dans son bureau, il y avait déjà du café et un biscuit acheté pour l'occasion. De la fenêtre, on pouvait admirer un immense pré et un étang. Dans le lointain, les Blue Ridge Mountains cisaillaient l'horizon.

— Je parie qu'on voit que l'agence me manque, soupira Joe. Certains jours, en tout cas. Chasser et pêcher, c'est sympa, mais au bout d'un moment, on finit par en avoir marre. Tu pêches, Alex ? Tu chasses ?

— J'ai déjà emmené les enfants à la pêche deux ou trois fois. Et il m'arrive de chasser. Pour l'instant, je rêve surtout de mettre la main sur le Loup. Et j'ai besoin de ton aide, Joe. Je voudrais que tu m'aides à éclaircir certains points. Il y a du nouveau.

93.

— D'accord, tu veux qu'on reparle du Loup ? me dit-il. Comment on l'a exfiltré de Russie, ce qui est arrivé quand il a débarqué chez nous, sa disparition juste après ? C'est une triste histoire, mais on la connaît bien et ce ne sont pas les documents qui manquent. Tu as vu les dossiers, Alex. Je le sais. Cette affaire a failli mettre fin à ma carrière,

— Ce que je ne comprends pas, Joe, c'est que personne n'a l'air de savoir de qui il s'agit. À quoi il ressemble ? Quelle est sa véritable identité ? Il y a plus d'un an que j'entends toujours la même litanie, mais il y a quelque chose que je ne comprends pas. Comment avons-nous pu collaborer avec la Grande-Bretagne pour exfiltrer un gros bonnet du KGB sans même savoir qui c'est ? Il s'est passé quelque chose de grave à Paris, mais on ignore quoi. Comment est-ce possible ? Quel est l'élément qui m'a échappé, qui a échappé à tout le monde à ce jour ?

Joe Cahill ouvrit ses grandes mains de bûcheron.

— Tu sais, moi aussi, j'ignore beaucoup de choses. Je crois savoir qu'en URSS, il était en mission d'infiltration. Il paraît qu'il était jeune, très méticuleux. Normalement, il devrait donc avoir tout juste la quarantaine, mais d'après certains rapports, il serait plus proche de la soixantaine. Apparemment, c'était un haut gradé du KGB quand il a fait défection. J'ai aussi entendu dire que le Loup était une femme, mais je suis presque sûr qu'il est lui-même à l'origine de cette rumeur, et de bien d'autres.

— Joe, ton équipier et toi étiez ses officiers de tutelle quand il est arrivé ici.

— Nous étions sous les ordres de Tom Weir, qui n'était pas encore patron de la CIA. En fait, il y avait trois autres types dans l'équipe – Maddock, Boykin et Graebner. Tu devrais peut-être les interroger.

Cahill se leva de son fauteuil pour ouvrir une double porte donnant sur un patio dallé. Une petite brise rafraîchit la pièce.

— Je ne l'ai jamais vu, Alex. Corky Hancock, mon équipier, non plus. Et le reste de l'équipe te répondra la même chose. C'est ce qui avait été prévu dès le départ. En quittant l'URSS, il a passé un accord. Il nous aidait à démanteler le KGB, il nous donnait des noms là-bas et ici, aux États-Unis, mais personne ne devait le voir. Et crois-moi, les noms et les infos qu'il nous a donnés nous ont bien facilité la tâche quand il s'est agi de faire tomber l'empire du mal.

Je hochai la tête, pensif.

— Certes, il a tenu ses promesses, mais maintenant, il a pris le large et créé son propre réseau criminel. Et ça ne s'arrête pas là.

Cahill mordit dans sa part de gâteau et reprit, la bouche pleine :

— Oui, c'est ce qu'il a fait, semble-t-il, mais nous, évidemment, nous étions loin de nous douter qu'il allait basculer dans le terrorisme crapuleux. Les Anglais aussi. Tom Weir était peut-être mieux informé que nous. Je ne sais pas.

J'avais besoin d'air. Je fis quelques pas. Deux

chevaux se frottaient l'encolure contre une barrière de bois blanc, à l'ombre des chênes. Je fis face à Joe Cahill.

— Bon, d'accord, tu ne peux pas m'aider en ce qui concerne le Loup. Que peux-tu faire pour moi, alors ?

Son air se fit soucieux, décontenancé.

— Je suis désolé, Alex, mais pas grand-chose. Je suis un vieux cheval de labour, plus vraiment opérationnel. Il est bon, ce gâteau, hein ?

— Non, je ne trouve pas, Joe. Tu sais, fait maison, c'est meilleur.

Son visage se décomposa. Il se força à sourire.

— Maintenant, il faut jouer cartes sur table. Pourquoi es-tu venu me voir ? Pour quelle raison précise ? Ton vieux pote Joe aimerait que tu lui dises tout. Que se passe-t-il ? J'ai un peu de mal à te suivre.

Je revins sur mes pas.

— Oh, tout tourne autour du Loup, Joe. Tu vois, je pense que ton ancien équipier et toi, vous pourriez énormément nous aider, même si tu n'as jamais personnellement rencontré le Loup, ce dont je doute un peu.

Et là, enfin, Cahill commença à montrer des signes d'énervement.

— Alex, cette histoire tourne au délire. J'ai l'impression qu'on tourne en rond, et je suis trop vieux, trop buté pour ces conneries.

— Tu sais, ces dernières semaines ont été pénibles pour tout le monde. C'est la folie, et encore, tu ne sais pas tout.

Mais le numéro de « mon vieux pote » Joe Cahill commençait à me lasser. Je lui sortis une photo et la lui collai sous les yeux.

— Regarde bien. C'est la femme qui a descendu Weir au siège du FBI.

Il secoua la tête.

— Oui, et alors ?

— Elle s'appelle Nikki Williams. Une ancienne de l'Armée de terre. Elle a travaillé un moment comme mercenaire. C'est un excellent tireur d'élite. Beaucoup de contrats privés apparaissent sur son C.V. Je sais ce que tu vas me dire, Joe : et alors ?

— Ouais. Et alors ?

— Il y a un certain temps, elle a bossé pour toi et ton équipier, Hancock. La CIA nous a ouvert ses archives, Joe. Une nouvelle ère de coopération a commencé. Et voici le plus intéressant : à mon avis, c'est toi qui l'as recrutée pour assassiner Weir.

» Geoffrey Shafer t'a peut-être servi d'intermédiaire, mais tu as participé à l'organisation du coup. Je crois que tu travailles pour le Loup. Depuis le début, peut-être. Peut-être que c'était inclus dans l'accord.

— Tu es malade, et complètement à côté de la plaque ! me rétorqua Cahill en se levant et en époussetant son pantalon couvert de miettes. Et tu sais quoi, moi je crois que tu ferais mieux de t'en aller tout de suite. Je regrette de t'avoir invité chez moi. Notre petite discussion est terminée.

— Non, Joe, elle ne fait que commencer.

94.

Je n'eus qu'à passer un coup de fil sur mon mobile et quelques minutes plus tard, des agents de la CIA et du FBI déferlèrent dans la propriété pour arrêter Joe Cahill. On l'emmena, menotté.

Nous disposions désormais d'une piste sérieuse.

Joe Cahill fut conduit en lieu sûr, dans les Alleghenies. Ce petit bâtiment de ferme en pierre de taille, entouré de vignes et d'arbres fruitiers, au portail noyé dans la végétation, ne payait pas de mine. Il appartenait à la CIA. Et ce n'était pas un centre de vacances.

L'ex-agent, bâillonné et ligoté, passa plusieurs heures seul dans une petite pièce.

Le temps de réfléchir à son avenir – et à son passé.

Un médecin de la CIA arriva. Un grand type bedonnant d'une petite quarantaine d'années, très Nouvelle-Angleterre, qu'on imaginait passionné de chevaux. Il s'appelait Jay O'Connell. Il nous expliqua qu'on l'avait autorisé à injecter à Cahill un sérum expérimental. Des variantes de ce produit faisaient actuellement l'objet de tests. Les cobayes : des terroristes détenus dans diverses prisons.

— Il s'agit d'un barbiturique comparable à l'amytal de sodium et au méthohéxital. Le sujet ressent brusquement une légère ivresse et une perte des sensations. Ensuite, il est incapable de résister aux questions qu'on lui pose. Enfin, nous l'espérons. Les réactions diffèrent d'un sujet à l'autre. Notre client n'est plus tout jeune, je pense que nous avons de bonnes chances de lui faire cracher le morceau.

— Et pour ce qui est des effets secondaires indésirables ?

— Il y a toujours le risque d'un arrêt cardiaque. Je plaisante. Enfin, pas tout à fait.

En tout début de matinée, on transféra Joe Cahill au cellier. On lui enleva son bandeau et son bâillon, mais il garda les mains liées. On le fit s'asseoir sur une chaise.

Il cligna des yeux, vit où il se trouvait, nous regarda.

— Techniques de désorientation classiques. Je vous préviens, ça ne risque pas de marcher sur moi. C'est vraiment n'importe quoi. Vous vous foutez de ma gueule.

— Oui, c'est possible.

Le Dr O'Connell se tourna vers l'agent Larry Ladove.

— Remontez-lui la manche. Voilà. (Puis, s'adressant à Cahill :) Vous allez ressentir une toute petite douleur, puis des picotements. Et après, ce sera le grand déballage.

95.

Pendant trois heures et demie, Cahill nous parla en avalant ses mots. On aurait dit un type bien éméché, prêt à reprendre quelques verres.

— Je sais ce que vous êtes en train de faire...

Il nous regardait en agitant l'index.

— Nous aussi, nous savons ce que vous êtes en train de faire, lui répondit Ladove. Et ce que vous avez fait.

— J'ai rien fait. Innocent jusqu'à preuve du contraire. Et d'ailleurs, si vous savez tant de choses, pourquoi on est là à discuter ?

— Joe, où est le Loup ? demandai-je. Dans quel pays ? Donne-nous quelque chose.

— Je sais pas, me répondit-il, et il se mit à rire comme s'il venait de dire quelque chose de drôle. Ça fait si longtemps. Je sais rien.

— Mais tu l'as rencontré ?

— Je l'ai jamais vu. Pas une seule fois, même au début. Il est très fort, très rusé. Paranoïaque, peut-être. Il réussit toujours son coup. Les types d'Interpol l'ont peut-être vu, eux, pendant le transfert. Tom Weir ? Les Anglais ? Ils l'ont eu un moment avant qu'on le récupère.

Nous avions déjà contacté Londres, mais les

services de renseignement britanniques ne disposaient pas de dossiers conséquents sur cette défection. Et rien ne mentionnait un problème à Paris.

— Depuis combien de temps travailles-tu avec lui ?

Il scruta le plafond pour trouver sa réponse.

— Pour lui, tu veux dire ?

— Oui. Depuis combien de temps ?

— Oh, longtemps. Me suis vite vendu. Ouais, c'était y a longtemps déjà. (Il se remit à glousser.) Et on est un paquet à l'avoir fait – à la CIA, au FBI, à la DEA. Du moins, c'est ce qu'il prétend. Et je le crois.

Je décidai de tenter un coup de bluff.

— C'est lui qui t'a donné l'ordre de faire tuer Thomas Weir. Tu nous l'as déjà dit.

— D'accord, si je l'ai fait, je l'ai fait. Tout ce que tu voudras.

— Pourquoi voulait-il faire assassiner Thomas Weir ? Pourquoi Weir ? Qu'y a-t-il eu entre eux ?

— Oh, ça se passe pas comme ça. On reçoit juste les instructions qui nous concernent, on nous dit pas le reste. Mais je sais qu'il y a eu une sale histoire entre lui et Weir. En tout cas, il m'a jamais contacté. Il s'adressait toujours à mon équipier, Hancock. C'est lui qui l'a exfiltré d'URSS. Corky, les Allemands, les Anglais. Je vous l'ai déjà dit, hein ? (Il nous fit un clin d'œil.) Putain, il est bon, votre sérum de vérité. Goûtez-moi ce nectar, les enfants. (Il regarda O'Connell.) Vous aussi, Dr Mengele. Buvez donc ce petit jus, et la vérité vous libérera.

96.

Joe Cahill nous avait-il dit la vérité ? Quel crédit accorder à ces aveux obtenus sous l'effet de la drogue ?

Corcky Hancok ? Les Allemands ? Les Anglais ? Thomas Weir ?

Quelqu'un, forcément, devait savoir où se trouvait le Loup, quelle était sa véritable identité, et ce qu'il préparait.

Je repris donc la traque. Après son départ en retraite anticipée, l'équipier de Cahill était allé s'installer au cœur de l'Idaho, dans les Rocheuses. Il vivait désormais près de Hailey, dans la vallée de la Wood, vingt kilomètres au sud de Sun Valley. Pas mal pour un ancien espion.

De l'aéroport à Hailey, la route traversait ce que le chauffeur du FBI appelait « le haut désert ». Hancock, comme Joe Cahill, aimait apparemment la chasse et la pêche. La célèbre réserve de Silver Creek, connue dans le monde entier, se trouvait tout près de là. Le poisson n'y manque pas, car les pêcheurs remettent systématiquement leurs prises à l'eau.

— Nous n'allons pas débarquer chez Hancock, expliqua Ned Rust, l'agent senior basé dans la région, un type assez jeune, du genre forte tête. Nous allons simplement le surveiller, essayer de voir ce qu'il mijote.

En ce moment, il est parti chasser en montagne. On va passer devant chez lui, histoire de vous faire voir la propriété. Au fait, je vous signale qu'il est excellent tireur.

Nous étions arrivés dans les contreforts du massif. Il y avait là de belles demeures entourées de parcs de plusieurs hectares, et le vert presque artificiel de certaines pelouses contrastait avec les flancs cendrés de la montagne.

— Il y a eu plusieurs avalanches dans le coin, ces temps derniers, observa Rust, qui semblait tout savoir, ou presque, sur la région. Vous aurez peut-être la chance d'apercevoir des chevaux sauvages. Ou Bruce Willis, Demi Moore, Ashton et les enfants. La maison de Hancock se trouve un peu plus haut. Elle a des murs en galet. Ça se fait beaucoup, par ici. Sacrée baraque pour un agent à la retraite qui n'a pas de famille.

— Il doit s'être constitué un petit bas de laine, fis-je.

C'était effectivement une belle et spacieuse villa jouissant d'une vue imprenable, et dont les dépendances paraissaient plus grandes que ma propre maison. Non loin, quelques chevaux broutaient tranquillement l'herbe grasse.

Corky Hancock était à la chasse. Moi aussi.

Les jours suivants, il ne se passa pas grand-chose. William Koch, l'agent responsable de l'opération, me briefa. La CIA avait également dépêché une de ses pointures, Bridget Rooney. Dès son retour, Hancock fut l'objet d'une attention de tous les instants. Une équipe venue spécialement de Quantico assurait la surveillance statique, et un groupe mobile prenait le relais dès que notre client sortait de chez lui.

Après avoir fait chanter quatre gouvernements, le

Loup avait réussi à obtenir une rançon de près de deux milliards de dollars, mais l'agent de la CIA qui l'avait exfiltré allait peut-être nous mener jusqu'à lui. Et nous permettre de répondre à une question : que s'était-il passé, à Paris, entre le Loup et Thomas Weir ?

97.

Dans le meilleur des cas, il nous faudrait bien plus que quelques jours pour voir nos interrogations satisfaites.

Le vendredi, on m'autorisa à me rendre à Seattle pour retrouver mon fils. J'appelai Christine, qui me répondit que ma visite leur ferait très plaisir. Il n'y avait plus de ressentiment dans sa voix. De temps à autre, je me surprenais même à me remémorer tous les bons moments que nous avions passés ensemble. En me demandant si je n'étais pas en train de faire une erreur.

À mon arrivée, en fin de matinée, je redécouvris avec le même bonheur que la première fois le charme discret et chaleureux de cette maison et ce jardin qui ressemblaient tant à Christine. La palissade blanche, les rambardes du petit escalier menant au perron, le parterre d'herbes aromatiques où menthe, romarin et thym poussaient gaillardement. Tout respirait la sérénité.

Ce fut Christine qui vint m'ouvrir la porte, Alex dans les bras, et je ne pus m'empêcher de penser à la vie que j'aurais peut-être vécue si j'avais exercé un autre métier, si mon boulot de flic n'avait pas fichu notre couple en l'air.

Sans doute remarqua-t-elle que j'étais surpris de la trouver chez elle à pareille heure.

— Je ne vais pas te mordre, Alex, c'est promis. Je suis allée chercher notre petit bonhomme à la maternelle pour qu'on ait le temps de se voir.

Elle me tendit mon fiston et tous mes soucis se volatilisèrent.

— Bonjour, papa, me dit-il avec un petit sourire timide.

— Dis donc, tu as drôlement grandi ! répondis-je avec un mélange d'étonnement, de fierté et de ravissement. Ça te fait quel âge, maintenant ? Six ans ? Huit ans ? Douze ans ?

— J'ai deux ans, et bientôt j'aurais trois ans, me répondit-il en riant.

Lui, il me comprend toujours. Ou du moins est-ce l'impression qu'il donne.

— Il parle de toi depuis ce matin, me dit Christine. Il n'a pas arrêté de répéter : « Aujourd'hui, c'est le jour de papa. » Amusez-vous bien.

Et à ma grande surprise, elle m'embrassa sur la joue. Je ne savais plus que faire. Je suis peut-être sur mes gardes, voire un peu parano, mais pas immunisé contre ce genre de geste. Kayla Coles il y a quelques jours, aujourd'hui Christine. Je devais donner l'impression d'être en manque d'affection...

Quoi qu'il en soit, ce fut une belle journée. Je fis comme si nous habitions Seattle depuis toujours. Nous allions commencer par nous promener à Fremont, où j'étais allé rendre visite à un collègue à la retraite, quelques années plus tôt. Le quartier a su préserver ses vieux immeubles, qui abritent aujourd'hui des dizaines de boutiques de vêtements de collection et de meubles anciens, et il s'en dégage un charme certain.

Sitôt arrivés, nous nous précipitâmes à la pâtisserie Touchstone pour partager une brioche fourrée au beurre et aux myrtilles, puis notre promenade nous entraîna jusqu'à la fameuse Fusée de quinze mètres de long qui surplombe l'un des magasins. Ensuite, j'achetai à Alex un cerf-volant multicolore. Pour le vol inaugural, il nous suffisait de pousser jusqu'au Gas Works Park, d'où on a une vue imprenable sur le lac et le centre de Seattle. Seattle regorge d'espaces verts. C'est l'un des aspects de la ville que je préfère. Aurais-je pu vivre ici ? Sans doute ? Pourquoi me poser cette question ? Parce que Christine m'avait embrassé ? Manquer à ce point d'affection, ça devenait pathétique...

Notre virée exploratoire se poursuivit jusqu'au jardin des sculptures, où l'immense Troll me rappelait la pochette du disque où Joe Cocker tient une Coccinelle Volkswagen dans la main. Et enfin vint l'heure de déjeuner, car il était déjà tard. Un repas végétarien s'imposait. Salade de légumes grillés, pain azyme, beurre de cacahuète et confiture.

— C'est la belle vie, hein, mon pote ? Y a rien de mieux, tu sais, petit bonhomme.

Alex Junior acquiesça avant de me regarder avec des yeux tout ronds, tout innocents, pour me demander :

— Papa, quand est-ce que tu rentres à la maison ?

Oui... Quand vais-je enfin rentrer chez moi ? pensai-je.

98.

Christine m'avait demandé de ramener Alex avant 18 heures, et je tins parole. Je suis tellement sérieux que ça m'énerve, parfois. Elle nous attendait sur la véranda, tout sourires, portant une belle robe bleu électrique et des chaussures à talons. Alex courut vers elle en criant : « Maman ! » et elle le serra contre elle, contre ses longues jambes.

— J'ai l'impression que vous vous êtes bien amusés, tous les deux. (Elle caressa la tête de notre gamin.) Tant mieux. Je ne me faisais pas de soucis, d'ailleurs. Alex, papa doit rentrer chez lui, maintenant. À Washington. Et nous deux, on doit aller dîner chez Theo.

— Je veux pas que papa s'en aille, pleurnicha Alex.

— Je sais, mon chéri, mais il est obligé. Papa doit aller à son travail. Allez, fais-lui un gros bisou. Il reviendra te voir.

— C'est promis, dis-je en me demandant qui était Theo. Je reviendrai toujours te voir.

Alex se précipita dans mes bras. C'était tellement bon, de l'avoir tout contre moi, que j'aurais voulu ne jamais le lâcher. J'aimais tant le sentir, le toucher, percevoir les battements de son petit cœur. Mais je ne voulais surtout pas lui communiquer la douleur de cette séparation.

— Je reviendrai bientôt. Dès que je pourrai. Et ne profite pas de ce que j'ai le dos tourné pour grandir trop vite...

Et lui qui psalmodiait :

— Papa, s'il te plaît, t'en va pas. Reste avec moi, s'il te plaît, papa.

Sa voix me poursuivit jusqu'à la voiture. Je lui fis un signe, sa silhouette s'estompa. Je sentais encore son petit corps blotti contre moi. Je le sens encore aujourd'hui.

99.

Il était presque 20 heures, et dans la pénombre du bar, au Kingfish Café, à l'angle de la 19ᵉ et de Mercer, je broyais du noir. Je pensais à Alex, à Damon, à Jannie, quand Jamilla déboula dans le restaurant.

Elle avait mis une jupe noire et une veste en cuir. Dès qu'elle m'aperçut accoudé au bar, son visage s'illumina d'un grand sourire, comme si, à ses yeux, j'étais aussi séduisant qu'elle pouvait l'être aux miens. Peut-être. Le problème de Jamilla, c'est qu'elle est belle, mais qu'elle ne le sait pas, ou qu'elle refuse de le croire.

Je lui avais dit que j'allais à Seattle, et elle avait décidé de sauter dans un avion pour dîner avec moi. Au début, je m'étais demandé si c'était une bonne idée, mais j'avais eu tort. J'étais tellement heureux de la voir, surtout après avoir quitté mon fils.

— Tu as bonne mine, me chuchota-t-elle à l'oreille, mais je te trouve les traits un peu tirés. Tu travailles trop. Tu brûles la chandelle par les deux bouts.

— Je me sens déjà beaucoup mieux, maintenant que tu es là. Toi, tu as bonne mine pour deux.

— Ah, bon ? Merci. Crois-moi, c'est le genre de compliment que j'avais besoin d'entendre.

Le Kingfish était un restaurant parfaitement

démocratique, où l'on venait sans réservation. On nous donna rapidement une table très agréable, contre le mur. Le maître d'hôtel vint prendre notre commande, mais nous n'avions qu'une envie : poser nos mains l'une sur l'autre et nous raconter tout ce que nous avions fait ces derniers temps.

Au milieu du dîner, je dis à Jamilla :

— Être séparé d'Alex, c'est pour moi la pire des tortures. Ça va à l'encontre de mes principes, de ma nature, de tout ce que j'ai appris de Nana. Je ne supporte pas de devoir le laisser ici.

— Christine ne s'occupe pas bien de lui ?

— Oh, si, si, Christine est une bonne mère, mais c'est la séparation qui me mine. Je l'aime, ce petit bout de chou, et il me manque tous les jours. Sa façon de parler, de marcher, de réfléchir, de raconter des blagues nulles et d'écouter les miennes, tout ça, ça me manque. On est vraiment copains, Jam.

Elle me regarda droit dans les yeux.

— Et donc, pour oublier, tu te réfugies dans ton boulot.

— Oui, mais c'est une autre histoire. Viens, on sort d'ici.

— Qu'avez-vous en tête, agent Cross ?

— Rien d'illégal, inspecteur principal Hughes.

— Ah, bon ? Quel dommage...

100.

J'avais pris une chambre au Fairmont Olympic, face au Ranier Square, et nous ne pouvions plus attendre. En pénétrant dans le hall de l'hôtel, Jamilla retint un sifflement d'admiration. Entre les dalles de marbre et les moulures du plafond, il devait bien y avoir une quinzaine de mètres. Dans l'immense salle, les conversations parurent s'interrompre.

— Décor Renaissance, lustres anciens, cinq étoiles, je suis vraiment impressionnée, murmura Jam avec un enthousiasme réjouissant.

— De temps en temps, il faut se faire plaisir.

— Tu me gâtes, Alex. (Elle m'embrassa furtivement.) Je suis vraiment heureuse de te voir et d'être là avec toi. Je nous trouve très bien, tous les deux.

Et ce fut de mieux en mieux. Notre chambre, au neuvième étage, spacieuse et lumineuse, respirait le luxe. La vue était sublime : Elliott Bay, Bainbridge Island dans le lointain, et un ferry qui quittait le port. Je n'aurais pu imaginer un cadre plus grandiose.

Nous nous jetâmes sur le lit king-size sans même enlever la parure à rayures or et vert, en riant et en bavardant, heureux d'être ensemble après une absence qui nous avait paru si longue.

— Attends, je vais te mettre à l'aise, me chuchota

Jam en sortant ma chemise de mon pantalon. Tu te sens mieux, comme ça ?

— Je vais te rendre la politesse.

Et pendant qu'elle déboutonnait ma chemise, j'en fis autant avec son chemisier. Nous prenions notre temps. Il s'agissait de faire durer l'instant, de nous concentrer sur chaque détail, chaque bouton, sur la texture de nos vêtements comme celle de notre peau électrisée par le désir, sur chacun de nos halètements.

— Toi, tu t'es entraîné, me souffla-t-elle.

— Oui, je me suis entraîné à monter l'escalier.

— Ce bouton-là correspond à quelle marche ? Et celui-ci ?

— Je ne sais pas si je vais pouvoir tenir encore longtemps, Jamilla. Je ne plaisante pas.

— On verra, on verra. Moi non plus, je ne plaisante pas.

Lorsqu'il n'y eut plus rien à déboutonner, nous nous déshabillâmes lentement, sans cesser de nous embrasser, de nous caresser, de nous frotter l'un contre l'autre. Je reconnus le parfum de Jamilla. Eau Délicate, de Calèche. Elle savait que je l'adorais. Pour la faire frissonner, je fis courir mes doigts sur ses épaules, son dos, ses bras, son visage, ses longues jambes, ses pieds, et je revins en arrière.

— Tu brûles... tu y es presque... soupira-t-elle.

Nous nous relevâmes en tanguant. Je dégrafai son soutien-gorge, enveloppai ses seins de mes mains.

— Je t'assure, je ne sais pas si je vais pouvoir tenir plus longtemps.

Je bandais à en avoir mal. Je m'agenouillai sur le tapis d'Orient pour embrasser le pubis de Jamilla. Il émanait d'elle une telle force, une telle assurance, que c'était peut-être presque une manière de lui témoigner mon respect.

Je finis par me relever.

— Prête ?

— Prête. Tu décides. Je suis ton esclave. Ou ta maîtresse ? Un peu des deux ?

Je la pénétrai debout. Nous dansions sur place. Au bout d'un moment, nous nous laissâmes tomber sur le lit. J'étais à l'intérieur de Jamilla, et le monde extérieur, lui, avait cessé d'exister. Il n'y avait plus que ses soupirs et ses petits cris de plaisir.

— Tu m'as tellement manqué, lui dis-je. Ton sourire m'a manqué, ta voix m'a manqué, tout m'a manqué.

— Pareil pour moi, mais c'est surtout ton corps qui m'a manqué...

Une dizaine de minutes plus tard, le téléphone sonnait.

Et pour une fois, j'eus le bon réflexe en envoyant balader le combiné avant de l'étouffer sous un oreiller.

Si c'était le Loup, il n'avait qu'à rappeler le lendemain.

101.

Le lendemain matin, je repartais pour l'Idaho. Nous prîmes le même taxi, mais pas le même avion.

— Tu fais une connerie, me glissa Jamilla juste avant que nous nous séparions. Tu devrais venir à San Francisco avec moi. Tu as besoin de vraies vacances.

Cela, je le savais déjà.

Mais pas question de me reposer maintenant. Corky Hancock était notre piste la plus sérieuse, et nous avions renforcé la surveillance. Hancock ne pouvait plus faire un pas sans être suivi, sans être écouté. Sa propriété était surveillée vingt-quatre heures sur vingt-quatre. Quatre équipes avaient été mobilisées, et nous en avions quatre autres en réserve. Depuis mon départ, des moyens aériens avaient également été déployés.

Dès mon arrivée, je fus invité à participer à une réunion regroupant près d'une trentaine d'agents, dans un cinéma de Sun Valley. Le soir, on y projetait *21 Grammes*, avec Sean Penn et Naomi Watts. Dans la journée, la salle était libre.

L'agent senior William Koch prit la parole. Un grand type dégingandé qui ne passait pas inaperçu : chemise de toile, jean et santiags noires en fin de carrière. Il prenait plaisir à jouer les régionaux de l'étape, mais nous fit rapidement comprendre qu'il ne fallait pas le sous-estimer. J'aurais pu en dire autant de son homologue à la CIA, Bridget Rooney, une femme très sûre d'elle et redoutablement intelligente.

— Pour faire simple, disons que soit Hancock sait que nous sommes là, soit il est extraordinairement prudent de nature. Il n'a adressé la parole à personne depuis notre arrivée. Il s'est baladé sur le Net – des annonces de cannes à pêche sur eBay, quelques sites porno, un championnat de base-ball virtuel. Il a une copine qui s'appelle Coral Lee. D'origine asiatique, elle habite pas loin, à Ketchum. Coral est canon, on ne peut pas en dire autant de Corky. Nous en avons déduit qu'elle devait lui coûter très cher, et il se trouve que c'est le cas. Pas loin de deux cent mille dollars, déjà, cette année. Des voyages, des bijoux, une petite Lexus décapotable. Voilà à peu près tout ce que je peux vous dire. Et nous savons, bien entendu, que Hancock a des liens avec le Loup, et qu'il a monnayé très cher ses services. Nous allons donc débarquer chez lui demain à minuit pile. Assez poireauté.

Sourires dans la salle. Quelqu'un me tapota l'épaule comme si j'y étais pour quelque chose, car la décision venait de Washington, forcément.

— Il ne faut pas me remercier. Moi, je ne suis qu'un exécutant.

L'équipe d'intervention comprendrait essentiellement des agents du FBI, mais aussi quelques hommes de la CIA, menés par Rooney. La CIA avait été invitée en partie parce que les deux agences gouvernementales avaient passé des accords de collaboration, mais surtout parce que Hancock était directement mêlé à l'assassinat de Thomas Weir, son patron.

102.

Koch et Rooney nous donnèrent le feu vert à l'heure prévue. Une nuée de T-shirts et de blousons siglés FBI envahit la propriété de Hancock, sans doute au grand désarroi de quelques lapins et quelques cerfs.

Hancock était au lit avec sa copine. Il avait soixante-quatre ans, et Coral en avait officiellement vingt-six. Une magnifique chevelure noire, un corps superbe, des bagues et des machins partout. Elle dormait à poil, sur le dos. Hancock, lui, avait eu le bon goût de mettre un sweat.

Il se mit à hurler, ce qui me parut plutôt comique.

— C'est quoi, ce bordel ? Foutez le camp de chez moi !

Malheureusement pour lui, il oublia d'avoir l'air surpris, ou alors il était juste mauvais comédien. En tout cas j'eus l'impression qu'il s'attendait à notre visite. Nous avait-il repérés, avait-il été renseigné par une taupe de la CIA ou du FBI ? Le Loup savait-il que nous avions débusqué son complice ?

Malgré le sérum de vérité du Dr O'Connell, les premières heures d'interrogatoire de Hancock s'avérèrent décevantes. Euphorique, béat, il parla peu et ne confirma même pas les aveux de Cahill.

Trois jours durant, plus d'une centaine d'agents

passèrent la propriété au peigne fin. Ils ne découvrirent rien de suspect, hormis le fait que Hancock possédait une Aston Martin décapotable, quand nous savions que le Loup aimait les voitures de sport. Ce n'était pas suffisant. Une demi-douzaine d'informaticiens, dont certains nous avaient été « prêtés » par Intel et IBM, examinèrent les disques durs des deux ordinateurs de Hancock, dont le contenu avait manifestement été crypté par des spécialistes.

Moi, pendant ce temps, je dus trouver de quoi m'occuper. Je lisais toutes les revues qui traînaient là, y compris de vieux numéros de l'*Idaho Mountain Express*, ou je faisais de longues balades en essayant, sans grand succès, de trouver un sens à ma vie. Je me consolais en me disant que l'air frais de la montagne, au moins, me nettoierait les poumons.

Lorsque les disques durs finirent par parler, les premiers résultats nous laissèrent sur notre faim. Aucune piste.

Le lendemain, en revanche, un spécialiste du piratage informatique de notre bureau d'Austin, Texas, mit au jour un fichier caché à l'intérieur d'un fichier crypté. Il renfermait des échanges de mails avec deux banques suisses.

Nous avions désormais la preuve que Hancock disposait d'une somme d'argent considérable. Plus de six millions de dollars. Enfin quelque chose de sérieux...

Zurich serait donc notre prochaine destination. Je n'escomptais pas y trouver le Loup, mais on ne savait jamais... Et je n'étais encore jamais allé en Suisse. Je dus promettre à Jannie de ramener une valise entière de chocolat. Une valise bourrée de chocolat suisse, ma chérie. C'est le moins que je puisse faire, moi qui ai été absent pendant presque toute ta neuvième année... pensai-je.

103.

Si j'avais été le Loup, j'aurais aimé vivre ici. Zurich est une ville magnifique, d'une incroyable propreté. Des chemins larges et sinueux longent le lac, à l'ombre de grands arbres odorants, et on y respire le bon air de la montagne. À mon arrivée, l'orage menaçait, et la brise avait comme un parfum de cuivre. Sur les façades d'immeubles, le plus souvent blanches ou beiges, je voyais claquer quelques drapeaux suisses.

En pénétrant dans la ville, je remarquai tous ces rails de tramways et ces câbles suspendus. Ah, le charme des transports d'hier ! Et ces vaches en fibre de verre, grandeur nature, décorées de scènes alpestres, et qui me rappelaient le jouet fétiche d'Alex...

La Zurich Bank se trouvait quasiment au bord du lac. Façade verre et acier, sans doute un bâtiment des années 60. Sandy Greenberg m'attendait à l'extérieur. Avec son tailleur gris et son sac à main noir, ironiquement, elle évoquait davantage une chargée de clientèle qu'un agent d'Interpol.

Elle m'embrassa sur les deux joues.

— C'est la première fois que tu viens à Zurich, Alex ?

— Oui. Mais j'ai eu un couteau suisse quand j'avais dix ou onze ans.

— Il faut qu'on dîne ou qu'on déjeune ensemble ici. Promets-le-moi. Entrons. Ils nous attendent, et les Zurichois n'aiment pas attendre. Surtout les banquiers.

Lambris lustrés, guichet en granit massif, tout ici respirait la prospérité. Et la propreté. Dans ce cadre aseptisé, les employés efficaces, très pro, ne communiquaient entre eux que par chuchotements. Le logo de la banque n'apparaissait quasiment pas, mais quelque chose me disait que les grandes toiles d'art abstrait qui couvraient littéralement les murs étaient, en quelque sorte, chargées de véhiculer l'image de marque de la société.

— Zurich a toujours accueilli l'avant-garde artistique et culturelle, m'expliqua Sandy qui, elle, ne chuchotait pas. C'est ici qu'est né le mouvement dadaïste et Wagner y a vécu, tout comme Strauss et Jung.

— Et c'est à Zurich que James Joyce a écrit *Ulysse*, ajoutai-je avec un clin d'œil.

— J'avais oublié que j'avais affaire à un flic intello, qui ne tient pas à ce que ça se sache.

On nous conduisit dans le bureau du président, un bureau immaculé, aussi spacieux qu'austère. Seul un ordre de transaction avait été laissé en évidence sur le sous-main.

Sandy tendit une enveloppe à M. Delmar Pomeroy.

— Une commission rogatoire signée. Le numéro du compte est 616479Q.

— Le nécessaire a été fait, nous répondit laconiquement Herr Pomeroy.

Et aussitôt, son fondé de pouvoir nous dévoila l'historique des mouvements de fonds sur le compte concerné. Voilà qui relativisait la légendaire inviolabilité du secret bancaire suisse. *Le nécessaire a été fait.*

104.

Même si je savais que les apparences étaient trompeuses, notre enquête semblait enfin prendre un tour plus sérieux. La banque mit à notre disposition un petit local, au sous-sol, et aidés par deux autres agents d'Interpol, nous passâmes au crible toutes les transactions effectuées par Corcky Hancock. Le compte bancaire de l'ex-agent de la CIA, ouvert avec deux cent mille dollars, affichait un solde de plus de six millions...

Cette seule année, il y avait eu quatre versements d'un montant global de trois millions et demi.

Ils émanaient tous d'un compte ouvert au nom de Y. Jikhominov. Il nous fallut plusieurs heures pour éplucher les relevés – plus d'une centaine de pages. Les premiers virement dataient de 1991, l'année où le Loup avait quitté la Russie. Coïncidence ? Je n'y croyais plus.

Toutes les opérations de débit sur le compte Jikhominov furent examinées à la loupe. Locations de jets privés, vols réguliers British Airways et Air France, nuits d'hôtel au Claridge et au Bel-Air à Los Angeles, au Sherry-Netherland à New York, au Four Seasons de Chicago et de Maui. Des virements aux États-Unis, en Afrique du Sud, en Australie, à Paris, à Tel-Aviv. La piste du Loup ?

Une autre dépense retint mon attention. Il s'agissait de l'achat de quatre luxueuses voitures de sport chez le même concessionnaire de Nice, Riviera Motors. Une Lotus, une Jaguar série limitée et deux Aston Martin.

— Le Loup est un passionné de voitures de sport, dis-je à Sandy. Il y a là une piste intéressante. Nous brûlons peut-être.

— Oui, je crois que nous devrions rendre une petite visite à ce concessionnaire. C'est sympa, Nice. Mais on déjeune d'abord à Zurich. Tu me l'as promis, Alex.

— Oui, mais sous la menace. Parce que je t'ai parlé de mon couteau suisse et que tu n'as pas trouvé ça drôle.

Cela dit, je mourais de faim... Sandy m'emmena donc à la Veltliner Keller, l'une de ses tables préférées.

Le restaurant existait depuis 1551, une sorte de record pour un commerce. Nappes et serviettes blanches, roses, vases en argent, salières en cristal, tout était d'un classicisme irréprochable. Après la *zuppe engadinese* – un consommé d'orge – nous nous régalâmes d'un *veltliner topf* – une sorte de fricassée – accompagné d'un très bon vin. Pendant une heure et demie, l'enquête cessa de nous obséder.

— C'est l'une des meilleures idées que tu aies jamais eues, dis-je à Sandy vers la fin du repas. Une vraie pause.

— Ça s'appelle tout simplement un déjeuner, Alex. Tu devrais le faire plus souvent. Tu devrais venir en Europe avec ta copine Jamilla. Tu travailles trop.

— Je suppose que ça se voit.

— Non, tu as toujours aussi bonne mine. Tu tiens mieux la distance que Denzel Washington dans ses derniers films. Tu t'accroches, et je ne sais pas comment tu fais. Mais je sens bien que tu te tortures. Mange, détends-toi, et ensuite on descendra à Nice regarder les voitures de sport. Ce sera comme des vacances. Peut-être même qu'on capturera un tueur. Finis ton vin, Alex.

— D'accord, répondis-je. Et avant de partir, il faut que j'achète du chocolat. J'ai juré à Jannie que je lui en ramènerais toute une valise.

— Tu as également juré d'attraper le Loup, si ma mémoire est bonne ?

— Tout juste.

105.

Prochaine étape, Nice.

Le patron de Riviera Motors, « concessionnaire exclusif Jaguar, Aston Martin, Lotus », semblait apprécier, lui aussi, l'art de la mise en scène. L'immense vitrine de son magasin d'exposition permettait d'admirer depuis la rue une impressionnante parade de luxueux coupés dont les carrosseries noires laquées contrastaient avec le sol d'un blanc immaculé.

— Comment envisages-tu la suite ? me demanda Sandy en descendant de notre Peugeot de location.

— Je crois que j'ai besoin d'une voiture neuve. Et il se trouve que j'aime les voitures de sport. Comme le Loup.

À la réception, une élégante blonde à la queue-de-cheval décolorée, bien bronzée, nous détailla. Un Black, une Blanche, tous les deux très grands. Qui sont ces gens ?

— Nous sommes venus voir M. Garnier, annonça Sandy en français.

— Avez-vous rendez-vous, madame ?

— Absolument. Nous sommes respectivement d'Interpol et du FBI. Je crois savoir que M. Garnier nous attend. Il s'agit d'une affaire importante.

J'avais quelques minutes pour admirer les lieux.

Les coûteuses voitures disposées en chevron étaient séparées par de volumineuses plantes vertes. Dans l'atelier adjacent, des mécanos en salopettes vertes siglées Jaguar, armés d'outils étonnamment propres, s'affairaient autour des bijoux qu'on leur avait confiés.

Le concessionnaire se manifesta rapidement. Son costume gris à la coupe impeccable avait dû lui coûter un mois de mon salaire.

— Vous êtes venus au sujet de deux Aston Martin, d'une Jaguar et d'une Lotus ?

— Quelque chose comme ça, monsieur, lui répondit Sandy. Montons dans votre bureau ; notre conversation pourrait nuire à l'image de votre magasin.

Le gérant sourit.

— Oh, croyez-moi, madame, notre concession est à l'abri de ce genre de soucis.

— C'est ce que nous verrons, intervins-je en français, moi aussi. Ou plutôt : faisons en sorte que cela ne change pas. Nous sommes ici dans le cadre d'une enquête pour meurtre.

106.

Notre interlocuteur se fit brusquement tout miel. Les quatre véhicules qui nous intéressaient avaient été vendus à un certain M. Aglionby qui, semblait-il, possédait une luxueuse villa au Cap-Ferrat, à l'est de Nice.

— Vous prenez la Basse Corniche, direction Monaco, nous expliqua-t-il. Vous ne pouvez pas manquer la propriété.

Le temps d'appeler des renforts, et deux heures plus tard, nous filions vers le Cap-Ferrat.

— Ça me rappelle *La Main au Collet*, de Hitchcock, observa Sandy. Les plans les plus célèbres du film ont été tournés là-haut.

Une route parallèle serpentait au milieu des falaises, une bonne centaine de mètres au-dessus de nous. Elle semblait dangereusement escarpée.

— Permets-moi de te rappeler que nous, nous sommes venus mettre la main au collet d'un type qui a tué de sang-froid plusieurs milliers de personnes, pas d'un monte-en-l'air plein de charme et d'esprit comme Cary Grant.

— Tu as raison, Alex, il faut que je redescende sur terre. Ici, il y a tout ce qu'il faut pour me déconcentrer.

Elle disait cela, mais je savais bien qu'elle ne

perdait jamais le nord. C'était d'ailleurs la raison pour laquelle nous nous entendions aussi bien.

La propriété de M. Aglionby se trouvait à Villefranche-sur-Mer, sur la côte ouest du Cap-Ferrat. Nous étions sur la D125, et depuis la route, on entrevoyait des villas et des jardins somptueux dissimulés derrière de hauts murs de stuc et de pierre de taille. Derrière nous circulait une lente procession de voitures dont les occupants admiraient, eux aussi, le spectacle. La Rolls bleue étincelante émergeant sans bruit d'une allée avec, au volant, une blonde portant foulard et lunettes noires, les clients du Grand Hôtel du Cap-Ferrat en train de bronzer sur leur terrasse, la piscine du Sun taillée dans la roche.

— Tu penses qu'on perd notre temps, Alex ?

— Non. On fait bien notre boulot, c'est tout. On rentre souvent bredouille, mais aujourd'hui, je sens que ça va mordre. Il y a forcément quelque chose. Ce cher M. Aglioby doit être impliqué.

Depuis que nous savions que Corky Hancock avait récemment touché des sommes d'argent importantes, j'avais repris espoir. Mais cette piste était-elle bien celle du Loup ?

Nous aperçûmes enfin la propriété. Sandy ne s'arrêta pas.

— On te tient, mon salaud, chantonna-t-elle. Aglionby serait le Loup ? Pourquoi pas ?

— Ce qui est sûr, c'est que le type qui vit ici est plein aux as.

— Quand on dispose d'un milliard de dollars ou plus, une baraque, ce n'est rien. On a une adresse sur la Côte d'Azur, une à Londres, une à Paris, une autre à Aspen.

— Si tu le dis. Moi, je ne sais pas, je n'ai jamais eu

un milliard de dollars sur mon compte. Ni de villa sur la côte.

C'était un vrai palais de style méditerranéen, murs jaune paille et encadrements blancs, avec balustrades et portiques. Trois étages, une trentaine de pièces au minimum, un petit Versailles. Les volets semblaient clos. Les occupants des lieux cherchaient-ils à se protéger du soleil, ou des regards ?

Pour l'instant, il s'agissait simplement de jeter un petit coup d'œil. Nous avions prévu de nous installer dans un petit hôtel, un peu plus loin. Les autorités locales prirent la décision de réquisitionner la villa voisine, entretenue par un personnel important même en l'absence des propriétaires. Je me déguiserais en jardinier, Sandy en bonne, et nous devions être à pied d'œuvre dès le lendemain matin.

Quand les Français eurent fini d'exposer leur plan, Sandy et moi échangeâmes un regard perplexe.

— Nous, on passe à l'action ce soir, annonçai-je. Avec ou sans votre aide.

107.

Nous avions déjà la bénédiction d'Interpol, et Paris décida finalement de soutenir notre initiative. Les Français, en contact permanent avec Washington, voulaient peut-être la peau du Loup encore plus que les autres. Ce jour-là, pour changer, tout alla très vite. Sandy et moi allions prendre part à l'assaut.

Postulat de base : le Loup se trouvait à l'intérieur de la villa. Quatorze tireurs d'élite furent déployés en binômes sur les quatre flancs de la propriété, désignés blanc (nord), rouge (est), noir (sud) et vert (ouest). Ils couvraient toutes les portes et fenêtres, et chacun d'entre eux s'était vu assigner un certain nombre de cibles. Postés dans les environs immédiats du domaine, ils étaient nos yeux et nos oreilles.

Apparemment, nous n'avions toujours pas été repérés.

Il ne nous restait plus qu'à nous équiper : combinaisons en Nomex noir, protections pare-balles, armes de poing et pistolets-mitrailleurs MP-5. À deux kilomètres de là, trois hélicos étaient prêts à décoller pour appuyer l'intervention. Nous – c'est-à-dire Interpol, le FBI, la police et l'armée française – attendions le feu vert. Certains, parmi les plus blasés, pariaient que l'assaut serait reporté à la dernière minute pour des motifs politiques, à cause d'hésitations en haut lieu, ou en raison d'un autre imprévu.

Couché sur le ventre juste à côté de Sandy, à une centaine de mètres de la villa, je commençais à ressentir une certaine appréhension. Le Loup – était-ce Aglionby ? – se trouvait peut-être dans sa tanière.

Il y avait peu de lumière et, passé minuit, seules de rares silhouettes passèrent derrière les fenêtres. Nous n'apercevions qu'une poignée de gardes.

— C'est bien calme, murmura Sandy. Je ne sais pas trop si ça me plaît. Ils ont drôlement allégé la sécurité.

— Il est presque 2 heures du matin, tu sais.

On nous donna le signal ! Nous faisions partie de la deuxième vague d'assaut. Nous courûmes jusqu'à la maison quarante-cinq secondes après les premiers. Flanc sud – noir. Nous devions entrer par la cuisine.

Quelqu'un avait déjà allumé les plafonniers. Un garde était allongé au sol, mains menottées derrière la tête. Du marbre partout, quatre fourneaux au milieu de la pièce, la cuisine respirait le luxe. Sur une table trônait un grand saladier de verre rempli de figues.

Nous nous engouffrâmes dans un immense couloir.

Les cris fusaient, mais aucun coup de feu n'avait encore été tiré.

Nous découvrîmes une immense salle de réception : lustres, sol en marbre et une demi-douzaine de toiles de maîtres français et hollandais.

Toujours pas de trace du Loup.

— Qu'est-ce qu'ils foutent, dans cette pièce ? demanda Sandy. Ils dansent, ou ils signent des traités ? Alex, on ne rencontre aucune résistance. J'aimerais bien savoir ce qui se passe. Est-ce que notre type est là ?

Un escalier en colimaçon. À l'étage, les soldats français vidaient les chambres de leurs occupants. Des hommes et des femmes en sous-vêtements, ou nus. Pas très sexy, mais visiblement surpris.

Je ne voyais pas, dans le lot, qui pouvait être le Loup. Si tant était qu'il fût ici.

Où se trouve le Loup ? Qui est cet Aglionby ? pensais-je.

La villa fut passée une deuxième fois, une troisième fois au peigne fin.

Marcel Aglionby était à New York pour affaires, nous déclarèrent plusieurs de ses hôtes. Nous avions mis la main sur une de ses filles. Selon elle, elle avait organisé une fête et tous les gens que nous avions interpellés étaient ses invités, ses amis. Son père ? Un banquier parfaitement respectable. Juré. Certainement pas un criminel, et encore moins le Loup.

Il serait donc le banquier du Loup ? Où cela nous mène-t-il ? me demandais-je.

Il fallait bien l'admettre : le Loup, une fois de plus, avait gagné.

108.

Après avoir une dernière fois fouillé la maison de fond en comble, nous entreprîmes de tout démonter.

C'était une demeure extraordinaire, regorgeant d'antiquités et d'œuvres d'art. Sandy se demandait si Aglionby n'essayait pas de concurrencer La Fiorentia toute proche, longtemps considérée comme la plus belle villa du monde. Le banquier aimait manifestement les belles choses, et avait les moyens de se les offrir. Chaque pièce recelait de véritables trésors : des meubles Louis XVI, des tapis d'Orient, des paravents chinois, des toiles anciennes et modernes, parmi lesquelles des Fragonard, des Goya et des Brueghel.

Grâce à la générosité du Loup ?

Nous rassemblâmes les « suspects » dans la salle de billard, qui ne comptait pas moins de trois tables et presque autant de sofas que le grand salon. Formalités d'usage. Quelqu'un, ici présent, savait-il quelque chose sur le Loup ? J'en doutais fort. Nous avions davantage de chances de tomber sur une personne connaissant Paris et Nicky Hilton...

— Quelqu'un souhaite-t-il parler au nom du groupe ? demanda le commandant de police français.

Personne ne se proposa, personne ne répondit à

nos questions. Ou ils ne savaient rien, ou on leur avait demandé de ne rien dire.

— Très bien, séparons-les, décida l'officier. Les interrogatoires vont commencer. Quelqu'un finira par parler...

N'ayant pas été invité à participer aux réjouissances, j'avais le temps d'aller faire le tour de la propriété. Je descendis vers la mer.

Le Loup nous avait-il, une fois de plus, aiguillés sur une fausse piste ?

Il y avait un immense garage à bateaux, tout en longueur, à une centaine de mètres de la villa. Arrivé sur place, je m'aperçus, stupéfait, que la vieille bâtisse accueillait en fait une bonne trentaine de voitures de luxe, sportives ou berlines. Nous détenions peut-être là la preuve que le Loup se servait de cette propriété. Ou était-ce encore une ruse ?

Je me tenais entre le hangar et la mer lorsque tout explosa.

109.

De cette terrible mission, Bari Naffis ne connaissait que sa partition, mais c'était bien suffisant. Il savait qu'il y avait eu une intrusion dans la propriété de Villefranche-sur-Mer et que pour cette raison, dans moins d'une heure, des gens allaient mourir. Parmi eux certains de ses amis et une fille avec laquelle il avait couché, un mannequin de Hambourg, aussi agréable à regarder qu'à caresser.

L'armée et la police française avaient déjà investi les lieux. Maintenant, Bari devait faire son travail. Pourquoi fallait-il en arriver là ? Il l'ignorait. C'était comme ça.

En s'engageant sur la départementale, il se fit la réflexion qu'il arrivait trop tard. Mais il avait des ordres. Quelqu'un avait tout prévu.

Le Loup avait anticipé la situation, comme s'il avait des yeux dans les dos, des yeux partout. Ce salopard vous foutait vraiment la trouille...

Bari Naffis n'en savait pas plus, et il ne tenait pas à en savoir plus. Il avait été payé d'avance. Grassement.

Une demi-heure plus tôt, dans sa chambre d'hôtel, un signal radio émis depuis la villa l'avait tiré d'un profond sommeil.

Il s'était levé et habillé en catastrophe. Il devait rejoindre un point précis, au-dessus de la villa.

Il essayait de ne pas penser à ses copains et à la fille. Peut-être survivrait-elle, après tout.

De toute manière, il n'allait pas se risquer à planter le Loup pour une histoire de fille.

Il se fraya un chemin entre les arbres, dans la broussaille. Il portait un lance-missiles Stinger FIM-92A. Longue d'environ un mètre cinquante, cette arme inesthétique mais bien équilibrée, équipée d'une poignée pistolet, ne pesait qu'une quinzaine de kilos. Deux autres opérateurs avaient pris position dans les bois. Chacun d'eux avait un rôle très précis à jouer.

Le piège était prêt à fonctionner.

Un piège redoutable qui allait décimer les occupants de cette belle villa. Un vrai carnage.

Une fois en position, à cinq cents mètres de la cible, Bari hissa le tube sur son épaule, empoigna la crosse et déploya le viseur. Ce lance-missiles se maniait presque comme un fusil conventionnel.

Il n'eut aucun mal à caler sa visée sur la villa. Difficile de manquer une maison de cette taille ! Et, écouteur à l'oreille, il attendit le signal.

Il détestait cela. Il revit la fille de Hambourg, Jeri. Gentille comme tout, un corps de rêve. Il attendait, espérant au fond de lui-même que ce signal n'arriverait jamais. Pour Jeri, pour tout ceux qui se trouvaient à l'intérieur de la villa.

Mais hélas, aussi impersonnel que l'enterrement d'un inconnu, le sifflement électronique lui vrilla les oreilles.

Deux signaux longs, un court.

Il inspira profondément, expira lentement, puis se força à presser la détente.

Le recul, moins violent que celui d'un fusil, le surprit.

L'éjecteur propulsa le missile à une dizaine de mètres et la deuxième partie du moteur-fusée prit le relais.

Bari suivit des yeux la traînée de vapeur du carburant solide. Le Stinger filait vers sa cible en grondant. Au moment de l'impact, sa vitesse dépasserait Mach 2.

Pourvu que tu t'en sortes, Jeri, pensa-t-il.

Le missile frappa le flanc de la villa. Un tir presque parfait.

Bari préparait déjà le deuxième lanceur.

110.

J'entendis comme des vrombissements, auxquels succédèrent de violentes explosions. Autour de moi, c'était le chaos, la mort.

Policiers et militaires tentaient désespérément de se mettre à couvert. Une roquette ou un missile avait frappé les toits de la villa, côté nord, déclenchant un déluge de débris d'ardoise, de bois et de briques de cheminée. Et en l'espace de quelques secondes, deux autres engins avaient touché la maison.

Alors que je me précipitais au secours de mes collègues, l'une des portes du hangar à bateaux s'ouvrit brusquement et une Mercedes bleu nuit sortit en trombe. Je courus jusqu'à la première voiture de police garée sur la pelouse et pris le volant pour me lancer à la poursuite de la CL55.

Je n'avais pas le temps de donner d'explications, fût-ce à Sandy. Mon seul souci, c'était de ne pas me laisser distancer. Et face à un pareil monstre, le petit quatre-cylindres de ma berline française risquait de ne pas faire le poids...

Je parvins néanmoins à suivre le puissant coupé jusqu'à la Basse Corniche en manquant plusieurs fois de me tuer, voire de faire d'autres victimes, dans les virages en épingle à cheveux.

Qui conduisait la Mercedes ? Le Loup ?

La circulation en direction de Monaco était fluide, mais dense. J'aperçus, loin devant, les gyrophares d'une dépanneuse ; un conducteur malchanceux avait dû faire un tête-à-queue. La Mercedes dut ralentir. Puis, brusquement, elle fit demi-tour et repartit en sens inverse.

Je dus en faire autant.

Les panneaux publicitaires et les néons défilaient à ma droite. Au détour d'un virage, la baie de Villefranche-sur-Mer m'apparut dans toute sa splendeur, sous une pleine lune immense, piquetée de yachts et de voiliers, telle la baignoire d'un enfant riche. Dans la descente, la Mercedes flirta avec les 170 km/h. Avec plus de cinq cents chevaux sous le capot, ça n'avait rien d'un exploit...

À l'entrée du vieux port de Nice, je parvins à réduire l'écart. Les petites rues étaient noires de monde. Il y avait des bars partout.

La Mercedes évita de justesse un groupe de jeunes gens éméchés qui sortaient d'une boîte, l'Étoile Filante.

Je dus moi-même klaxonner frénétiquement. On m'insulta, et j'eus droit à quelques gestes obscènes.

La Mercedes tourna brutalement à droite pour rejoindre la N7, la Moyenne Corniche.

Je parvins à la suivre, mais je savais que le mystérieux conducteur n'allait pas tarder à me semer.

La route en lacet qui nous ramenait à Monaco était moins fréquentée dans ce sens, et la CL55 accélérait en se jouant de la pente. Le type qui était au volant savait que je ne pouvais pas le rattraper.

Au bout de deux kilomètres, je compris que c'était fichu. Et ce n'était pas la vue imprenable sur le Cap-Ferrat et Beaulieu, dont je jouissais depuis les hauteurs de Villefranche, qui allait me consoler.

Résolu à tenter le tout pour le tout, je mis le pied au plancher. J'étais presque à 160. Combien de temps allais-je tenir à une telle vitesse ?

Un tunnel. L'obscurité. En ressortant, je découvris un extraordinaire village perché dont les murs devaient remonter au Moyen Age.

EZE, annonçait la pancarte. Malaise, oui...

Dès la sortie du village, la route devenait beaucoup plus dangereuse, comme suspendue à flanc de falaise. En contrebas, la mer changeait de couleur, du bleu azur au gris argenté en passant par l'opale.

Orangers et citronniers embaumaient l'air. Tous mes sens semblaient en alerte. La peur, sans doute.

La Mercedes était en train de me distancer. Il fallait que je prenne une décision. Alors, dans le virage suivant, au lieu de ralentir, je choisis d'accélérer...

111.

Je regagnais du terrain. Dis donc, tu as vraiment envie de te suicider ? me demandai-je à moi-même.

Soudain, la Mercedes dérapa, heurta la paroi rocheuse et effectua une série de tête-à-queue avant de percuter une nouvelle fois le flanc de la montagne et de décoller, littéralement.

Le véhicule plongea dans le vide.

J'eus juste le temps de freiner et de sortir de ma voiture. La Mercedes ricocha deux fois le long de la falaise, et fit plusieurs tonneaux sur la route qui serpentait en contrebas.

La carcasse s'immobilisa. Rien ne bougeait. Le conducteur de la Mercedes devait être mort.

Impossible de descendre à pied. Je repris le volant de ma voiture et il me fallut près de dix minutes pour arriver sur les lieux de l'accident. La police, les secours et les premiers badauds étaient déjà sur place...

Les secouristes s'affairaient autour de l'épave.

— Il est encore en vie ! cria quelqu'un.

Je courus vers ce qu'il restait de la puissante CL55. Comment le conducteur avait-il pu survivre au crash, après une telle chute dans le vide ? Le Loup avait la réputation d'être coriace, mais à ce point...

Je montrai ma carte. Les policiers français me laissèrent passer.

Quand j'aperçus enfin la tête du blessé, je n'en crus pas mes yeux. Non, c'était impossible !

Abasourdi, je mis un genou à terre près de la carcasse renversée. Le moteur fumait encore.

— C'est Alex, fis-je.

Il avait le regard vitreux. Sous les épaules, son corps n'était plus qu'un agglomérat de chair et de métal. Martin Lodge faisait peur à voir.

Et pourtant, il vivait encore. Il luttait contre la mort, et semblait vouloir me dire quelque chose. Je m'approchai de lui.

— C'est Alex.

Je collai mon oreille contre sa bouche.

Je voulais connaître l'identité du Loup. Et j'avais tant d'autres question à lui poser.

— Vous avez perdu votre temps, murmura Martin Lodge. Votre chasse à l'homme n'aura servi à rien. Je ne suis pas le Loup. Je ne l'ai jamais vu.

Et il rendit l'âme, au grand dam de tous ceux qui, comme moi, attendaient une réponse.

112.

En Grande-Bretagne, la famille de Martin Lodge avait été placée sous haute protection. Le Loup aurait pu être tenté de supprimer sa femme et ses enfants pour éviter les révélations compromettantes. Ou par pur plaisir.

Le lendemain matin, je pris l'avion pour Londres. J'avais rendez-vous à Scotland Yard avec le supérieur de Martin Lodge, John Mortenson. Il commença par m'informer qu'aucun des survivants de l'attentat du Cap-Ferrat ne savait quoi que ce soit sur le Loup. Ni même sur Martin Lodge.

— Mais il y a un élément nouveau.

De mon fauteuil-relax, j'avais une superbe vue de Buckingham Palace. Je pris mes aises.

— Plus rien ne peut me surprendre, à ce stade. Allez-y, John, dites-moi tout. Y a-t-il un rapport avec la famille Lodge ?

Il acquiesça. Soupira longuement.

— Je vais commencer par Klára Lodge. Klára Cernohosska, pour être plus précis. Il se trouve que Martin faisait partie de l'équipe chargée d'exfiltrer Edward Morozov, un agent du KGB qui avait fait défection, en 1993. Il travaillait en collaboration avec la CIA : Cahill, Hancock, ainsi que Thomas Weir. Et ce qu'il faut savoir, c'est qu'Edward Morozov n'existe pas, le nom a été inventé. Nous pensons que le type en question n'était autre que le Loup.

— Vous vouliez d'abord me parler de Klára, la femme de Martin...

— Première chose : elle n'est pas tchèque. Elle a quitté la Russie en même temps que cet Edward Morozov. Assistante d'un ponte du KGB, elle était notre principale source de renseignements à Moscou. Apparemment, Lodge et elle ont plus que sympathisé pendant le transfert. Quand elle est arrivée en Angleterre, il lui a donné une nouvelle identité, il a détruit toutes les archives qui la concernaient et il l'a épousée. Pas mal, non ?

— Et elle sait, elle, qui est le Loup, à quoi il ressemble ?

— Nous ignorons ce qu'elle sait, elle refuse de nous parler. Mais avec vous, ce sera peut-être différent.

Voilà qui me laissait perplexe.

— Pourquoi moi ? Je ne l'ai rencontrée qu'une fois.

Mortenson me regarda avec un sourire en coin.

— D'après elle, son mari avait confiance en vous. Que faut-il en déduire ?

Je ne sus que répondre.

113.

Mme Lodge et ses enfants avaient été provisoirement mis au vert près de Shepton Mallet, à deux cents kilomètres de Londres.

Au bout d'un chemin, à la sortie du village, une ferme transformée en camp retranché leur tenait lieu de domicile.

J'étais arrivé vers 18 heures. L'intérieur de la maison, avec ses vieux meubles rustiques, ne manquait pas de charme. Malheureusement, le dîner familial eut lieu dans le cadre beaucoup moins pittoresque d'un minuscule abri souterrain.

Klára ne pouvait pas cuisiner comme à Londres, et ce qu'on lui donnait ici ne devait guère lui plaire. C'était presque immangeable. J'aurais préféré un plateau-repas de compagnie aérienne.

— Je constate qu'il n'y a pas de *michaná vejce* au menu, dis-je en plaisantant.

— Vous vous souvenez de notre petit-déjeuner à Battersea, et même de la prononciation de mots. Bravo, Alex. Vous avez le sens de l'observation. Martin me disait que vous étiez un bon agent.

Le « festin » terminé, Hana, Daniela et Jozef remontèrent dans leurs chambres pour faire leurs devoirs, et Klará alluma une cigarette.

— Des devoirs ? m'étonnai-je. Ici, et à une heure pareille ?

— Je crois qu'il faut maintenir des règles pour les aider à vivre normalement. Alors, vous étiez avec Martin quand il est mort ? Que vous a-t-il dit ?

J'eus un instant d'hésitation. Qu'avait-elle envie d'entendre ? Que devais-je lui dire ?

— Il m'a dit qu'il n'était pas le Loup. Est-ce vrai, Klará ?

— Et il ne vous a rien dit d'autre ?

Je faillis lui répondre qu'il m'avait parlé d'elle et de leurs enfants, mais je ne voulais pas mentir.

— Non, Klará, c'est tout ce qu'il m'a dit. Il n'a pas eu le temps. Quelques secondes à peine. Il n'avait pas l'air de souffrir. Je pense qu'il était en état de choc.

Elle hocha lentement la tête.

— Martin disait toujours que je pouvais avoir confiance en vous. Pour lui, en fait, c'était votre point faible. Et je ne le vois pas en train de faire des belles phrases, même dans ses derniers instants.

— Vous le regrettez ?

— Non, me dit-elle en riant. Au contraire, c'est pour ça que je l'aimais.

Ce soir-là, Klará avait des choses à me dire. L'heure des négociations avait sonné. La veuve de Martin Lodge m'exposa ses exigences.

— Je veux pouvoir quitter l'Angleterre avec mes enfants, sous une nouvelle identité, et avec assez d'argent pour vivre. Je vous dirai plus tard où je veux aller.

— À Prague ? suggérai-je, pour rire.

— Non, certainement pas à Prague. Et pas en Russie non plus. Ni aux États-Unis. Je vous dirai où quand le moment sera venu. Maintenant, voyons ce qu'il faut que je vous donne en échange.

— Oh, c'est facile. Il faut nous donner beaucoup. Vous devez nous donner le Loup. Mais êtes-vous en mesure de nous le donner, Klará ? Que savez-vous ? Qui est-il ? Où se trouve-t-il ? Que vous a confié Martin ?

Elle finit par sourire.

— Martin m'a tout dit. Martin m'adorait, vous savez.

114.

Aux commandes de son avion personnel, le Loup se posa à l'aéroport de Teterboro, dans le nord du New Jersey. Un Range Rover noir l'y attendait. Le Loup avait un rendez-vous à New York, une ville qu'il avait toujours détestée. Et comme d'habitude, ça roulait mal. Le trajet jusqu'à Manhattan prit autant de temps que le vol depuis le New Hampshire.

La clinique du Dr Levine se trouvait sur la 63e Rue, à deux pas de la Cinquième Avenue. Le Loup gara le Range et, sans perdre une seconde, pénétra dans l'immeuble de pierre de taille.

Il était un peu plus de 9 heures. Le Loup ne se donna même pas la peine de regarder s'il était suivi. Cela n'aurait rien changé, désormais. Il pensait avoir pris les précautions nécessaires pour parer à toutes les éventualités, comme d'habitude.

Il fut accueilli par l'infirmière chargée d'assister le chirurgien. Il avait en effet insisté pour qu'elle seule soit présente. La clinique avait été privatisée pour la journée.

— Il faudrait que vous lisiez et que vous signiez ces quelques documents, lui dit-elle avec un sourire crispé.

Elle ignorait son identité, mais elle avait été grassement payée. Le secret qui entourait cette opération devait éveiller sa curiosité.

— Non, merci, je ne signerai rien.

Il lui laissa à peine le temps de s'écarter et trouva le Dr Levine dans une petite salle d'opération déjà éclairée où régnait un froid intense.

— Voilà qui me rappelle la Sibérie ! s'exclama-t-il. J'ai passé un hiver au goulag, là-bas.

Le Dr Levine se retourna. C'était une assez belle femme, mince et bien conservée. La quarantaine, sans doute. Il aurait pu la sauter sans problème, mais pour le moment, ça ne lui disait rien. Plus tard, peut-être.

Il lui serra la main.

— Dr Levine. Je suis prêt, et je n'ai pas envie de m'éterniser ici. Commençons tout de suite.

— Ce n'est pas possible... objecta-t-elle.

Le Loup leva la main pour l'interrompre, mais on eût dit qu'il allait la frapper. Elle tressaillit.

— Je n'ai pas besoin d'une anesthésie générale. Comme je viens de vous le dire, je suis prêt. Et vous êtes prête, vous aussi.

— Monsieur, vous n'avez vraiment aucune idée de ce que vous dites. Il s'agit de vous refaire le visage et le cou. Liposuccion, implants dans les mâchoires et les joues, remodelage du nez. La douleur sera insupportable, croyez-moi.

— Elle sera supportable, rétorqua le Loup. J'ai vécu bien pire. Je vous autorise simplement à contrôler mes signaux vitaux. Maintenant, on oublie ces foutaises d'anesthésie. Au travail, docteur. Sinon...

— Sinon quoi ?

— Sinon, vous vous exposez à divers désagréments, et notamment des souffrances qui vont bien au-delà que ce que vous me croyez incapable d'endurer.

Êtes-vous prête à faire cette expérience, Dr Levine ? Martin et Amy, vos enfants, sont-ils prêts à la vivre ? Et Jerrold, votre mari ? Bien, passons aux choses sérieuses. J'ai un agenda chargé.

115.

Pendant toute la durée de l'opération, il n'émit pas le moindre bruit. Comme s'il était insensible à la douleur. Le chirurgien et son assistante n'y comprenaient rien. Il avait saigné abondamment, comme c'est souvent le cas chez les hommes, et son visage était déjà en train de se couvrir d'hématomes. Il avait subi le supplice de la rhinoplastie durant une heure et demie. Autrement dit, pour lui refaire le nez, on lui avait enlevé de gros morceaux d'os et de cartilage. Et tout cela sans même une anesthésie locale.

Cette dernière opération effectuée, le Dr Levine demanda à son patient de rester allongé. Et bien entendu, il s'empressa de se relever.

Il avait la nuque raide, le crâne et la gorge couverts de Betadine.

— Pas mal, dit-il, la voix rauque. J'ai connu bien pire.

— Attendez au moins une semaine avant de vous moucher, lui déclara le Dr Levine, soucieuse de démontrer qu'elle disposait encore d'un soupçon d'autorité.

Le Loup sortit un mouchoir, puis le remit dans sa poche.

— Je plaisante. Rassurez-moi, docteur. J'espère que vous avez un peu d'humour.

— Pas question, non plus, de prendre le volant. Je vous l'interdis. Par égard pour les autres.

— Bien entendu. Je ne voudrais pas mettre en danger la vie d'autrui. Je vais laisser ma voiture là où elle est et attendre qu'on me l'embarque. Bon, je vais vous donner vos sous. Je commence à m'ennuyer avec vous.

D'un pas légèrement chancelant, le Russe alla chercher sa mallette. Et il put enfin contempler, au passage, son nouveau visage. Enfin, les chairs tuméfiées que les bandages laissaient apparaître...

— Vous travaillez bien, commenta-t-il, et il rit.

Il ouvrit sa mallette, en retira un Beretta équipé d'un silencieux. Il abattit l'infirmière, muette d'effroi, de deux balles en pleine face, puis se tourna vers le Dr Levine qui lui avait fait si mal.

— Avez-vous d'autres conseils à me prodiguer ?

— Je vous en supplie, l'implora-t-elle, ne me tuez pas. Mes enfants... Vous savez que j'ai des enfants.

— Je pense qu'ils s'en sortiront mieux sans vous. Je suis sûr qu'ils seraient d'accord avec moi.

Il la tua d'une balle dans le cœur. Je suis trop bon, songea-t-il. Surtout après les tortures qu'elle lui avait infligées. Et de toute façon, il ne l'aimait pas, cette conne. Aucun humour.

Et le Loup quitta la clinique.

Il n'y avait plus une seule personne au monde capable de l'identifier, désormais.

Il fut pris d'un rire quasiment inextinguible.

Il venait d'exécuter *sa* partition.

116.

— Le voilà ! C'est forcément lui.

— Il rigole. On se demande pourquoi. Tu y comprends quelque chose, toi ?

L'homme à la tête bandée, en imperméable gris, venait de sortir de l'immeuble.

— On dirait qu'il s'est fait scalper, puis écorcher, me dit Ned Mahoney. Il ressemble au monstre d'un film d'épouvante.

— Ne le sous-estime pas. Et n'oublie pas que c'est effectivement un monstre.

L'occasion de voir le Loup – ou, du moins, l'homme que nous soupçonnions d'être le Loup – nous avait enfin été donnée. Et dire que nous avions failli le manquer, une fois de plus ! Nous étions en planque devant la clinique de l'East Side depuis une minute à peine...

— Ne t'inquiète pas, Alex, je ne le sous-estime pas. On a six équipes prêtes à lui tomber dessus. Si on était arrivés plus tôt, on aurait pu le coincer à l'intérieur de la clinique.

— L'essentiel est que nous soyons là. Les tractations avec Klára Lodge, en Angleterre, n'ont pas été faciles, mais elle a fini par jouer le jeu. En ce moment, elle est quelque part en Afrique du Nord avec ses enfants.

— Si j'ai bien compris, le Loup se trimballe avec une puce électronique sous l'omoplate depuis qu'il a quitté la Russie ?

— Comment aurions-nous fait pour le localiser, sans cette balise ? D'après Klára, Martin Lodge savait toujours où il se trouvait. C'était son assurance-vie.

— On peut donc passer à l'action. Prêt ?

— Et comment !

J'étais impatient de voir la tête de cet enfoiré au moment où nous l'arrêterions.

Mahoney ajusta son casque-micro et donna le signal :

— On resserre sur lui. Et n'oubliez pas : ce type est extrêmement dangereux.

Tu l'as dit, mon petit Ned.

117.

Le Ranger Rover noir s'arrêta au feu, à l'intersection de la 5ᵉ Avenue et de la 59ᵉ Rue. Deux berlines sombres l'encadrèrent, tandis qu'une troisième voiture lui bloquait la route. Des agents surgirent de toutes parts. Nous le tenions !

Brusquement, les portières du Hummer blanc qui précédait le 4 × 4 s'ouvrirent et trois individus se mirent à canarder tout le monde avec des armes automatiques.

— D'où ils débarquent, ceux-là ? hurla Mahoney. Tout le monde se couche !

Nous, nous étions déjà en train de courir vers le lieu de la fusillade. Ned descendit l'un des gardes du corps du Loup. Je parvins à en toucher un autre. Le troisième nous alluma.

Le Loup avait abandonné son Range Rover pour fuir à pied en zigzaguant entre les voitures. Avec sa tête couverte de pansements, on aurait dit qu'il venait de réchapper d'un incendie. Les passants se plaquaient au sol pour échapper aux balles, des gens hurlaient. Le Loup courait toujours. Espérait-il aller loin, avec sa tête de momie ? Peut-être. Après tout, nous étions à Manhattan...

D'autres hommes armés semblèrent surgir de nulle

part. Le Loup était venu avec des renforts. Et nous, en avions-nous suffisamment ?

Le Loup s'engouffra dans un magasin. Je n'eus pas le temps de voir lequel. Nous étions juste derrière lui.

Et là, il fit l'impensable, même si plus rien ne m'étonnait, désormais. Je le vis lancer un objet noir, qui retomba en tourbillonnant.

Je n'eus que le temps de hurler :

— Une grenade ! Tout le monde à terre !

Une énorme explosion souffla les deux immenses vitrines, projetant une pluie d'éclats de verre sur les passants. Une épaisse fumée noire envahit les lieux. Dans le magasin, les cris des clients se mêlaient à ceux des employés.

Mais il n'était pas question de perdre le Loup de vue. Quel que soit le danger, je ne pouvais pas laisser filer un homme qui avait pris le monde en otage et déjà fait des milliers de victimes.

Mahoney prit une allée, et moi l'autre. Le Loup essayait de rejoindre une sortie donnant sur la 55e Rue. Ou était-ce la 56e ? J'étais un peu déboussolé.

— On ne le laisse pas sortir ! me lança Ned.

— Tu parles !

Nous nous rapprochions, et je distinguais à présent son visage boursouflé et emmailloté, qui lui donnait un air encore plus féroce. Il paraissait aux abois, capable de tout.

— Je vais tuer tout le monde dans le magasin ! beugla-t-il.

Nous ne répondîmes pas : nous étions disposés à le croire. Nous avancions toujours.

Il arracha une petite fille blonde des bras d'une femme qui devait être sa nourrice.

— Je vais la tuer. Je vais tuer la petite. Elle est morte !

Nous fîmes encore quelques pas.

Il serrait l'enfant contre sa poitrine. Son sang dégoulinait sur la pauvre gamine qui se débattait en hurlant.

— Je vais la...

Ned tira presque en même temps que moi. Le Loup bascula et lâcha la fillette, qui se releva et courut se mettre à l'abri.

Le Loup se releva, lui aussi. Il se précipita jusqu'à la porte la plus proche.

— Il doit porter un gilet pare-balles.

— La prochaine fois, on vise la tête.

118.

Nous pourchassions le Loup dans la 55ᵉ Rue, accompagnés de quelques collègues du FBI et de deux policiers new-yorkais en tenue. Si ses gardes du corps n'étaient pas tous morts, ils avaient dû le perdre.

Notre homme, curieusement, semblait savoir où il allait. Non, il ne pouvait avoir tout prévu à ce point...

Nous l'avions dans notre ligne de mire. Il était là, juste devant nous.

Soudain, il pénétra dans un immeuble de brique rouge, haut d'une dizaine d'étages. D'autres complices l'attendaient peut-être à l'intérieur... Était-ce un piège ?

L'immeuble était gardé. Enfin, plus maintenant. Le vigile gisait sur le marbre luisant, la tête dans une flaque de sang.

Tous les ascenseurs étaient en train de monter – huitième, quatrième, troisième étages.

— Il ne sortira pas d'ici, décréta Mahoney.

— Qui sait, Ned ?

— Ne me dis pas qu'il est aussi capable de voler.

— Non, mais va savoir ce qu'il mijote. Il n'est pas venu ici par hasard...

Mahoney demanda à ses hommes d'attendre les trois ascenseurs, puis de passer chaque étage au peigne fin. Les renforts du NYPD n'allaient pas tarder à arriver. Des dizaines, des centaines d'hommes. Et le Loup était toujours à l'intérieur de l'immeuble.

Avec Mahoney, je pris les escaliers.

— On monte jusqu'où ?

— Jusqu'au toit. C'est la seule autre issue.

— Tu crois vraiment qu'il a organisé sa fuite ? Comment est-ce possible ?

Je ne savais que répondre. Cet homme perdait son sang, il devait être à bout de forces, et peut-être délirait-il. Ou alors, il avait tout prévu. Comme à son habitude.

Et donc à nous les neuf étages. Nous finîmes par atteindre le dernier palier, bien essoufflés. Pas de trace du Loup. Nous fîmes le tour des bureaux – personne ne l'avait vu.

— Au fond du couloir, il y a un escalier qui mène au toit, nous dit la secrétaire d'un cabinet juridique.

Des marches, encore des marches, puis la lumière du jour. Toujours pas de Loup en vue. Il y avait une sorte de petite tour en bois sur le toit. Un réservoir d'eau ? Le bureau du gardien ?

Le porte était fermée à clé.

— Il est forcément quelque part, maugréa Ned. Ou alors, il a sauté dans le vide.

Et soudain, nous le vîmes surgir de derrière la construction.

— Je n'ai pas sauté dans le vide, monsieur Mahoney. Et il me semblait vous avoir demandé de ne pas enquêter. Je crois avoir été assez clair. Posez vos armes à terre, immédiatement.

Je fis un pas en avant.

— C'est moi qui lui ai demandé de venir.

— Bien évidemment. Vous êtes l'infatigable Dr Cross, celui qui n'abandonne jamais. C'est pour cela que vous êtes si prévisible, d'ailleurs. Et vous me rendez service

Un flic du NYPD émergea brusquement de la trappe de l'escalier de secours. Il aperçut le Loup, et ouvrit instinctivement le feu.

Touché en pleine poitrine, le Loup chancela à peine. Son gilet pare-balles l'avait protégé, une fois de plus. Et, grognant et gesticulant comme un ours, le Russe se rua sur le policier stupéfait.

Il le saisit à bras-le-corps, le souleva. Nous ne pouvions rien faire. Il le jeta dans le vide.

Le Loup se mit à courir, comme pris de folie. Quelle mouche l'avait piquée ? Et là, je crus comprendre ses intentions. Il allait tenter de sauter sur le toit de la tour voisine, côté sud. J'aperçus un hélicoptère en approche. Chargé de le récupérer ? Non, pitié, pas ça !

Mahoney s'était lancé à sa poursuite, lui aussi.

— Arrêtez-vous !

Le Loup courait en zigzaguant. Il esquiva nos premières balles.

Il décolla littéralement du toit, les bras en l'air. Dans une fraction de seconde, il serait de l'autre côté. Il avait de la marge.

— Non, salopard ! hurla Ned.

Moi, je m'étais immobilisé. Je pris soigneusement ma visée, et pressai quatre fois la détente.

119.

Le Loup pédalait dans le vide. Il chercha à attraper le rebord du toit.

Nous ne pouvions pas aller plus loin. Le Loup réussirait-il, une fois encore, à s'en sortir ? J'en doutais. J'étais certain de l'avoir touché à la gorge. Il devait se noyer dans son sang.

— Fais le grand plongeon, connard ! lui lança Ned.

— Il est fichu, fis-je.

Je ne me trompais pas. Le Russe tomba dans le vide. Sans se débattre, sans pousser le moindre cri.

Les mains en porte-voix, Mahoney hurla :

— Hé, homme-loup, bienvenue en enfer !

Ce fut comme une chute au ralenti, puis le Loup s'écrasa dans la ruelle séparant les deux immeubles. En voyant ce corps désarticulé, ce visage couvert de pansements, je ressentis un formidable sentiment de satisfaction et de plénitude. Nous avions fini par l'avoir, cet enfoiré, et il était mort comme il le méritait, écrasé sur l'asphalte comme un vulgaire cafard.

Là, Ned Mahoney se mit à applaudir, à chanter, à danser. Tout en le laissant à son délire, je comprenais sa réaction.

— Il n'a pas poussé un cri, dis-je. Il n'a même pas voulu nous faire ce plaisir.

Mahoney haussa les épaules.

— Moi, je m'en fous. Nous, on est là, et lui, il est en bas, au milieu des poubelles. Il y a peut-être une justice, finalement. Enfin, je ne sais pas.

Et il me serra contre lui en riant.

À mon tour de me lâcher.

— On a gagné, putain ! On a fini par l'emporter, Neddy !

120.

Nous avions gagné !

Le lendemain matin, je pris un hélico pour Quantico. Ned Mahoney et quelques-uns de ses meilleurs hommes étaient aussi du voyage. Ils allaient fêter la disparition du Loup avec toute l'équipe du HRT. Moi, je voulais juste rentrer chez moi. J'avais dit à Nana de ne pas envoyer les enfants à l'école ; nous fêterions l'événement, nous aussi, mais à notre manière.

Nous avions gagné !

Le trajet en voiture de Quantico à Washington me donna l'occasion de décompresser un peu. Quand j'aperçus la maison, au loin, ce fut comme un début de retour à la normale. Je commençais à me retrouver. Il n'y avait personne sur la terrasse. Nana et les petits ne m'avaient pas vu arriver. J'allais leur faire la surprise.

Nous avions gagné !

La porte n'était pas verrouillée. J'entrai. Il y avait de la lumière dans certaines pièces, mais je ne voyais personne. Avaient-ils décidé de me faire une surprise ?

Sans faire de bruit, je revins à la cuisine. Tout était allumé, la table du déjeuner était prête, mais il n'y avait personne.

Bizarre, tout de même. Rosie miaula et vint se frotter contre moi.

Je finis par crier :

— Hé ho, c'est moi ! Je suis rentré ! Papa est rentré ! Où êtes-vous ? J'ai fait la guerre et on m'a démobilisé.

Il n'y avait personne en haut non plus. Aucun message sur un Post-It.

Je redescendis au pas de course, fis quelques allers-retours devant la maison. La 5ᵉ Rue était déserte. Où avaient pu passer Nana et les enfants ? Ils savaient que j'arrivais.

Je rentrai passer quelques coups de fil en essayant d'imaginer où ils auraient pu aller, mais je savais que Nana laissait toujours un mot lorsqu'elle emmenait les petits, ne fût-ce qu'une heure. Et j'avais annoncé mon retour.

Je me sentais très mal. J'attendis une demi-heure avant d'appeler Tony Woods, à la direction du FBI. Entre-temps, j'avais passé la maison au peigne fin, sans rien déceler d'anormal.

Les techniciens de l'identification débarquèrent à la maison et, peu de temps après, l'un d'eux vint me voir dans la cuisine.

— Il y a des empreintes de pas dans le jardin, sans doute celles d'un homme. On a retrouvé des traces de terre dans la maison. C'est peut-être quelqu'un qui est venu réparer ou livrer quelque chose, mais en tout cas, c'est tout frais.

Ce fut le seul indice qu'ils mirent au jour cet après-midi-là.

Dans la soirée, Sampson et Billie vinrent me voir. Nous passâmes la soirée à attendre. Pas un coup de téléphone, rien. Vers 2 heures du matin, John finit par rentrer chez lui. Billie était déjà partie quatre heures plus tôt.

Je refusais d'aller me coucher. Et les quelques

minutes passées au téléphone avec Jamilla ne suffirent pas, bien entendu, à me redonner espoir.

Au petit matin, devant la porte, les yeux rougis, je me fis la réflexion que mes pires craintes venaient de se concrétiser. Le cauchemar absolu. On est là, tout seul, et ceux qu'on aime le plus risquent de mourir.

Nous avions perdu.

121.

Je reçus le courrier électronique le cinquième jour. En le lisant, je crus que j'allais vomir.

> *Mon cher Alex,*
> *Voici qui va vous surprendre.*
> *Je ne suis pas aussi cruelle, aussi insensible que vous pourriez le penser. Les êtres les plus cruels, les plus déraisonnables, ceux dont nous devrions tous avoir peur, se trouvent essentiellement chez vous, aux États-Unis et en Europe occidentale. L'argent dont je dispose aujourd'hui aidera à les arrêter, à freiner leur voracité. Le croyez-vous ? Vous devriez.*
> *Je vous remercie pour ce que vous avez fait pour moi, et pour Hana, Daniela et Jozef. Nous vous sommes redevables, et je paie toujours mes dettes. Pour moi, « vous n'êtes qu'un moucheron, mais au moins vous êtes un moucheron ». Votre famille vous sera rendue aujourd'hui, et nous serons quittes. Vous ne me reverrez jamais. Et je ne veux jamais vous revoir. Si je vous revois, vous mourrez. Je vous le promets.*
>
> > *Klára Cernohosska*
> > *Loup*

122.

Je ne pouvais pas, je ne voulais pas laisser tomber. Le Loup s'était introduit chez moi pour enlever mes proches. J'avais retrouvé ma famille saine et sauve, mais cela pouvait se reproduire.

Au cours des quelques semaines qui suivirent, j'eus l'occasion, avec le soutien actif de Ron Burns, de mettre à l'épreuve les récents accords de coopération passés entre le FBI et la CIA. Je me rendis une bonne douzaine de fois au siège de l'Agence, à Langley, pour interroger tout le monde, des analystes juniors au nouveau directeur, James Dowd. Je voulais obtenir tous les renseignements disponibles sur Thomas Weir et l'agent du KGB que la CIA avait exfiltré. Allait-on me communiquer toutes les archives ? J'en doutais, mais on ne m'empêcha pas de mener ma petite enquête.

Puis un beau jour, Burns me convoqua. Le patron de la CIA était avec lui. Il y avait du nouveau. Une bonne... ou une très, très mauvaise nouvelle.

— Entrez, Alex, fit Burns, toujours aussi cordial. Il faut qu'on parle.

Les deux grands patrons, en bras de chemise, donnaient l'impression de sortir d'une longue et pénible réunion de travail.

— James Dowd aimerait vous dire deux, trois choses.

La nomination de Dowd à la tête de la CIA avait été une surprise pour tout le monde. Son profil était pour le moins atypique. Après quelques années au NYPD, il avait embrassé la carrière d'avocat et gagné beaucoup d'argent en prenant, à en croire les rumeurs, certaines libertés...

— Vous savez, me dit-il, j'ai encore beaucoup de choses à découvrir, ici, et cet exercice m'aura été très utile. Nous sommes donc allés fouiller dans le passé de Tom Weir sans ménager notre temps ni nos efforts. (Il regarda Burns.) Et nous n'avons trouvé que du positif. Son dossier est irréprochable. Je dois vous dire, cependant, que certains de nos vieux baroudeurs, ici, n'ont pas apprécié que je mette mon nez dans les archives. Et très franchement, je me fiche pas mal de leurs états d'âme.

» Un Russe du nom d'Anton Christyakov a été recruté puis exfiltré en 1990. Cet homme était le Loup. Nous en avons la quasi-certitude. On l'a ramené en Angleterre, où il a rencontré un certain nombre d'agents, parmi lesquels Martin Lodge. Et ensuite, on l'a installé dans la banlieue de Washington. Seule une poignée de gens connaissait sa véritable identité. Weir faisait partie du cercle, bien entendu.

» Et finalement, à sa demande, on l'a installé à Paris, où il a pu retrouver sa famille : ses parents, sa femme et ses deux enfants, âgés de neuf et douze ans.

» Ils habitaient tout près du Louvre, là où la bombe a explosé il y a quelques semaines. En 1994, Christyakov a échappé à un attentat, mais toute sa famille a été massacrée. Nous pensons que le coup a été monté par le gouvernement russe, mais nous n'en sommes pas certains. Ce qui est sûr, c'est que quelqu'un voulait sa peau, et a réussi à trouver sa planque.

— Pour lui, précisa Burns, les responsables ne pouvaient être que la CIA, Tom Weir, et les gouvernements impliqués. Il a peut-être pété les plombs juste après. Il a rejoint la Mafia russe et il a vite pris du galon. Ici, aux États-Unis. Sans doute à New York.

Burns et Dowd me regardèrent.

— Le Loup n'était donc pas Klára. Que savons-nous d'autre sur Christyakov ?

Dowd me répondit, embarrassé :

— Nous n'avons que quelques notes. La plupart des gros bonnets de la mafia russe qui le connaissaient sont morts aujourd'hui, mais celui qui tient Brooklyn sait peut-être quelque chose. Il y a peut-être également un contact à Paris. On essaie de voir, par ailleurs, si on peut trouver une ou deux pistes à Moscou.

— Prenez le temps qu'il faudra, lui dis-je. Je veux ce type. Dites-moi tout ce que vous savez.

— Il était très proche de ses enfants, souligna Burns. C'est peut-être pour cela qu'il a épargné votre famille, Alex. Et la mienne.

— Non, s'il a épargné ma famille, c'est uniquement pour faire la démonstration de sa puissance et de sa supériorité.

— Il a toujours une balle dans la main, une balle noire, précisa Dowd.

Je ne le suivais plus.

— Pardon ?

— L'un de ses fils lui avait offert une balle en caoutchouc pour son anniversaire. D'après l'une des notes que nous avons retrouvées, Christyakov passe son temps à écraser cette balle noire quand il est en colère. On sait également qu'il aime porter la barbe. Et il paraît qu'il vit seul. Voilà les maigres éléments dont nous disposons. Désolé, Alex.

Pas autant que moi. Mais je finirais bien par l'avoir, ce salaud.

Il malaxe une balle en caoutchouc.
Il aime porter la barbe.
Sa famille a été assassinée.

123.

Six semaines plus tard, je repartais pour New York. J'allais rendre une petite visite à un certain Tolya Bykov, grande figure du milieu russe qui, depuis quelques années, faisait une très belle carrière à la tête des gangs mafieux de Brighton Beach.

Ned Mahoney était du voyage. Il faisait très beau, et étonnamment chaud. Nous arrivions à Mill Neck, la côte huppée de Long Island. La forêt, sillonnée de petites routes, descendait jusqu'à l'océan.

Nous débarquâmes chez Bykov sans nous annoncer, mais avec une commission rogatoire, et forts d'une douzaine d'agents. La propriété ressemblait à un camp retranché, et il y avait des gardes armés partout. Comment pouvait-on vivre comme ça ?

L'immense maison jouissait d'une vue extraordinaire sur le détroit, jusqu'au Connecticut. Piscine façon roche naturelle avec cascade, hangar à bateau, appontement privé. Le luxe, entièrement payé avec de l'argent sale.

Bykov nous attendait dans son bureau. Je ne m'attendais pas à voir un homme aussi fatigué, aussi vieux. Ses petits yeux disparaissaient dans les replis de graisse de son visage vérolé. Il devait peser dans les cent cinquante kilos. Il respirait difficilement et toussait beaucoup.

On m'avait prévenu : il ne parlait pas anglais.

Un de nos agents new-yorkais, d'origine russe, était chargé de jouer les interprètes.

— Parlez-moi d'un homme qui se fait appeler le Loup, lui dis-je.

Tolya Bykov se gratta la nuque, bougea la tête d'avant en arrière, puis grommela enfin quelques mots.

L'interprète me regarda.

— Il dit que vous perdez votre temps et que vous lui faites perdre le sien. Vous devriez vous en aller. Il ne connaît qu'un seul loup, celui de *Pierre et le loup*.

— Nous ne partirons pas. Le FBI et la CIA vont lui pourrir la vie jusqu'à ce qu'on trouve le Loup. Dites-le-lui.

L'agent traduisit, et Bykov éclata de rire. Puis il lâcha quelques mots de russe, et un nom qui m'était familier.

— Il dit que vous êtes encore plus drôle que Chris Rock. Il adore les humoristes, surtout ceux qui se moquent des hommes politiques.

Je me levai, saluai sommairement le mafieux et sortis de la pièce. Déçu ? Non. Ce n'était qu'un premier contact. Je reviendrais, et cela aussi souvent que nécessaire. J'avais décidé de consacrer tout mon temps à cette affaire. Et d'être très, très patient...

124.

Quelques minutes plus tard, nous quittions les lieux, hilares, en commentant ce premier entretien. Mieux valait en rire...

Et c'est alors qu'un détail accrocha mon regard. Non, je ne rêvais pas.

— Ned, regarde.

— Quoi ?

Il tourna la tête, sans voir ce que je voyais.

J'étais déjà en train de courir, mais j'avais l'impression que mes jambes allaient me lâcher.

— C'est lui !

J'avais les yeux rivés sur l'un des gardes du corps, posté sous un grand sapin. Chemise et veste noires. Pas de manteau.

Et, dans la main, une vieille balle noire. Qu'il pressait machinalement. La balle offerte à son père par le jeune fils du Loup, peu avant sa mort.

Il avait une barbe. Il me regarda.

Et partit en courant.

— C'est lui ! C'est le Loup !

Je piquai un cent mètres en espérant que Ned réussirait à me suivre.

Le Russe sauta dans une décapotable rouge vif. Mit le contact.

Je réussis à me jeter tant bien que mal sur le siège passager. D'un coup de poing, je fis exploser le nez du Loup. Le sang jaillit. Puis je frappai à la mâchoire.

J'ouvris la portière, côté conducteur.

Dans le regard du Loup brillait une intelligence froide, dépourvue de toute humanité. Le président français avait vu juste.

Était-ce lui le vrai Tolya Bykov ? Peu m'importait. Je tenais enfin le Loup. Son regard ne mentait pas. J'y lisais l'orgueil, l'arrogance, et toute la haine qu'il vouait aux autres.

— La balle, me dit-il. Vous étiez au courant, pour la balle. La balle que mon fils m'a donnée. Je vous félicite.

Un étrange petit sourire se dessina sur son visage, et il mordit avec force quelque chose qui se trouvait dans sa bouche. Je compris, mais il était déjà trop tard. Impossible de lui faire desserrer les mâchoires. Ses yeux s'écarquillèrent de douleur. Il venait de croquer une capsule de poison.

Il ouvrit alors la bouche, et poussa un cri rauque. Il écumait littéralement. Une mousse blanchâtre dégoulinait jusqu'à son menton. Il rugit une fois encore, et entra en convulsions. Incapable de le maîtriser, je dus me relever et reculer.

Il suffoquait, se tenait la gorge, se tordait de douleur. L'agonie dura plusieurs minutes. Je ne pouvais, je ne voulais rien faire. Le rôle de simple spectateur me convenait parfaitement.

Et le Loup mourut sous mes yeux, au volant de son luxueux coupé.

Quand ce fut fini, je pris la balle en caoutchouc et la mis dans ma poche.

Et aussitôt, il me vint à l'esprit que je venais de

reproduire un geste propre aux tueurs que j'avais si souvent arrêtés.

J'avais désormais mon trophée.

Mais je pensais avant tout à Jannie, à Damon, à Alex, à Nana.

Et je voulais rentrer chez moi.

Le Loup est mort. Sous mes yeux.

Je ne sais combien de fois je dus me répéter ces mots avant de m'en persuader enfin...

*Ce volume a été composé
par Facompo à Lisieux (Calvados)*

*Impression réalisée sur CAMERON
par BRODARD ET TAUPIN
La Flèche
en mai 2007*

Imprimé en France
Dépôt légal : juin 2007
N° d'édition : 95023/01 – N° d'impression : 41678